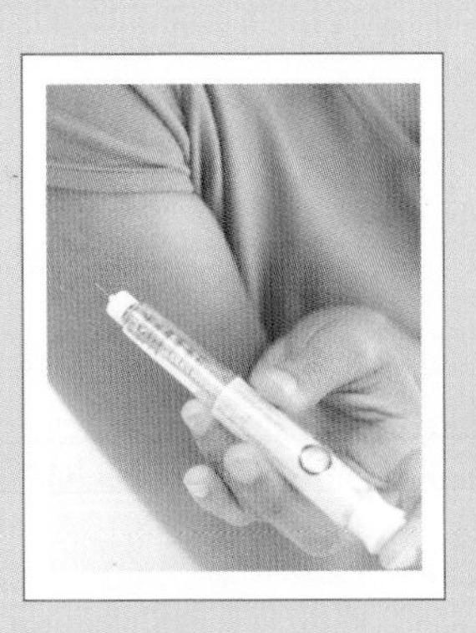

Guías para la salud

DIABETES

Conozca cómo puede afectar su salud.
Prevención, tratamiento y pautas de vida saludable.

Presentación

La diabetes mellitus (tipo 1 y tipo 2) es una enfermedad crónica que afecta cada vez a más personas en todo el mundo, incluso a niños y adolescentes. Esto quiere decir, que millones de personas deberán convivir con esta afección por el resto de su vida. Pero lo que al comienzo puede parecer una carga abrumadora, en realidad se torna sencillo teniendo la información y la asistencia adecuada.

Junto con el tratamiento farmacológico, el cambio de hábitos que incluya la alimentación sana y la realización de actividad física, permiten que los pacientes diabéticos puedan desarrollar una vida plena y satisfactoria.

Esta guía, redactada por profesionales del área de la Salud, tiene el objetivo de brindar al paciente y su familia información básica sobre la enfermedad, su tratamiento y su prevención, expresada en un lenguaje accesible, que ayude no solo a comprender las características de la diabetes, sino también a adoptar los cuidados y hábitos necesarios para su control.

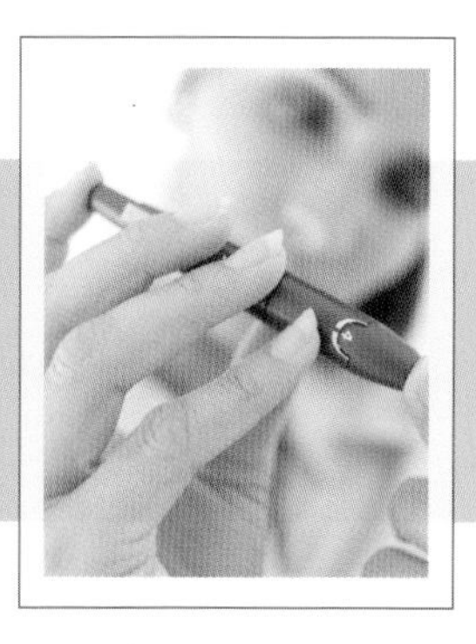

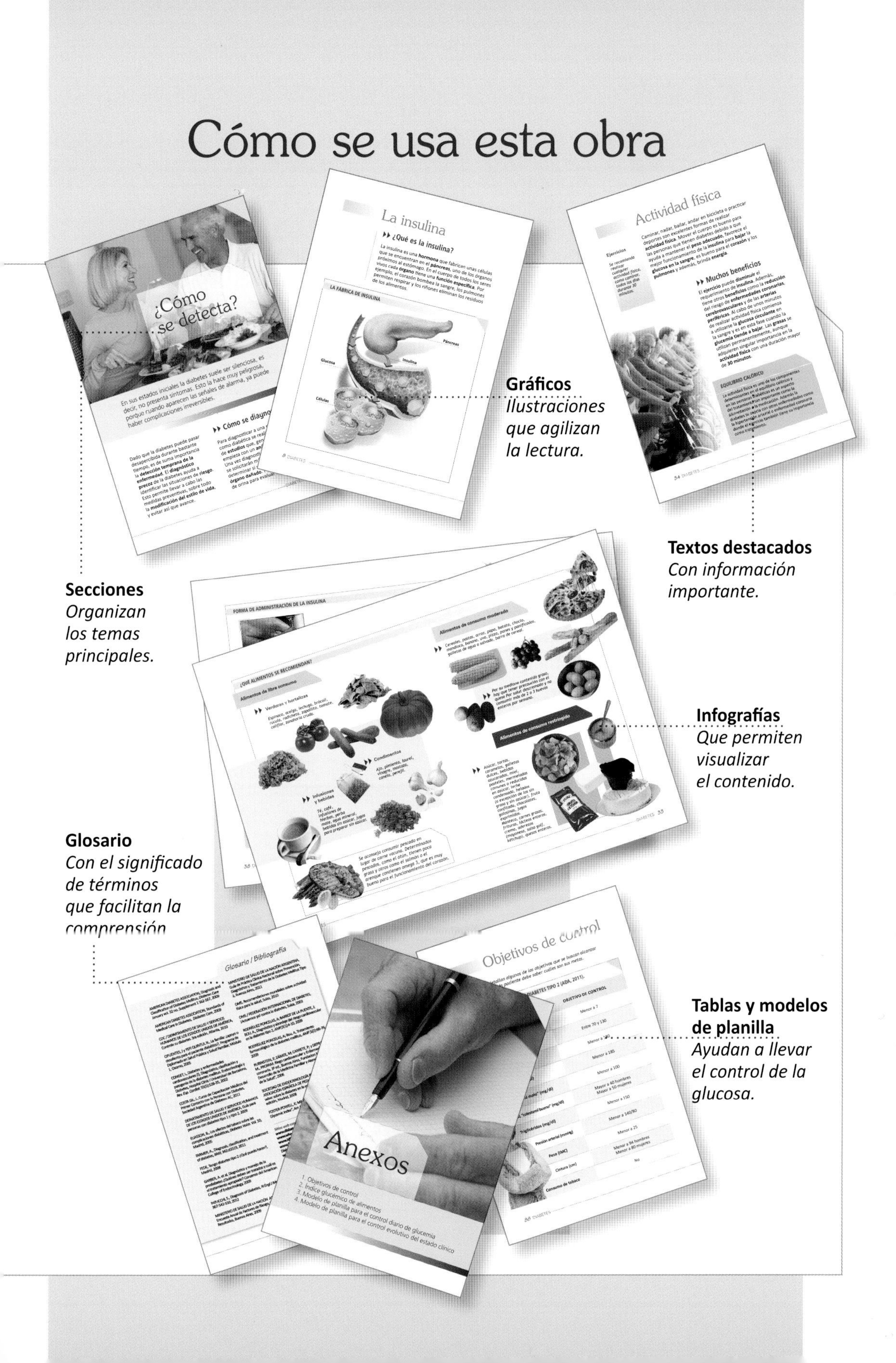
Cómo se usa esta obra
Gráficos
Ilustraciones que agilizan la lectura.
Textos destacados
Con información importante.
Secciones
Organizan los temas principales.
Infografías
Que permiten visualizar el contenido.
Glosario
Con el significado de términos que facilitan la comprensión
Tablas y modelos de planilla
Ayudan a llevar el control de la glucosa.

Sobre las autoras

▸▸ *Nanci Navarro* es Médica por la Universidad de Buenos Aires, Argentina. Realizó la residencia de medicina general en la Ciudad de Buenos Aires, en el marco del Posgrado de Capacitación en Servicio. Finalizada su residencia, se desempeñó como jefa de residentes y recibió el título de Especialista en Medicina General y Familiar del Ministerio de Salud de la Nación. Como médica generalista, participa en congresos de dicha especialidad en carácter de asistente y expositora. Actualmente lleva a cabo su actividad asistencial, trabajo comunitario y tareas de prevención y promoción de la salud en instituciones del primer nivel de atención y se desempeña como docente de pregrado de estudiantes de Medicina.

▸▸ *Gabriela Analía Trunzo* es Licenciada en Ciencias de la Comunicación por la Facultad de Ciencias Sociales de Universidad de Buenos Aires, Argentina. Realizó la Residencia Interdisciplinaria de Educación para la Salud (RIEpS) en el marco del Posgrado de Capacitación en Servicio, orientado a la realización de actividades y proyectos de promoción, prevención y educación para la salud, del Ministerio de Salud del Gobierno de la Ciudad de Buenos Aires.
Participó en el desarrollo de proyectos y actividades de Promoción, Educación para la Salud y Prevención de Enfermedades en diversos hospitales públicos de esa misma ciudad. Actualmente es Consultora en planificación, diseño y desarrollo de contenidos en la Coordinación de Información Pública y Comunicación del Ministerio de Salud de la Nación.

Importante

La presente obra contiene información de carácter orientativo y general, por lo tanto, su contenido no reemplaza de ninguna manera la consulta con el médico de cabecera ni con el especialista. Tanto el diagnóstico como la indicación del tratamiento adecuado tiene que ser realizada por un profesional de la salud, según las características particulares de cada paciente. El lector no debe tomar decisiones sobre su tratamiento sin consultar con su médico.
Los autores han seleccionado cuidadosamente las fuentes, que se mencionan al final de la obra, con el objetivo de que la información contenida en este volumen tenga respaldo científico. Sin embargo, puede haber discrepancias entre las distintas fuentes consultadas sobre los diversos temas.
Los editores y los autores no pueden ser responsabilizados por ningún tipo de daño o perjuicio derivado, directa o indirectamente, del uso y la aplicación de los contenidos de esta obra.
Este libro menciona diversos sitios web. Los autores y editores no se hacen responsables por los efectos que puede tener la información contenida en esos sitios y tampoco pueden asegurar que la misma sea actualizada de manera regular y correcta.

¿Qué es la diabetes?

Cuando a una persona le diagnostican diabetes mellitus significa que presenta un aumento de la glucosa (o azúcar) en la sangre. Si no se trata debidamente puede generar trastornos a largo plazo.

Esta **enfermedad** está causada por un **defecto** en la **producción** y/o la **acción** de la **insulina**, que es una **hormona** que genera el **páncreas**. Cuando este órgano no produce suficiente insulina, o cuando el cuerpo no la utiliza correctamente porque existen alteraciones en el organismo, como por ejemplo la obesidad, la **glucosa** se **acumula** en la **sangre** causando **diabetes**.

¿Se cura?

La diabetes es una **afección crónica**, es decir que la persona la padecerá **durante toda su vida**. Hasta el momento, esta enfermedad se **puede controlar** con un adecuado tratamiento pero no es posible curarla.

La insulina

¿Qué es la insulina?

La insulina es una **hormona** que fabrican unas células que se encuentran en el **páncreas**, uno de los órganos próximos al estómago. En el cuerpo de todos los seres vivos cada **órgano** tiene una **función específica**. Por ejemplo, el corazón bombea la sangre, los pulmones permiten respirar y los riñones eliminan los residuos de los alimentos.

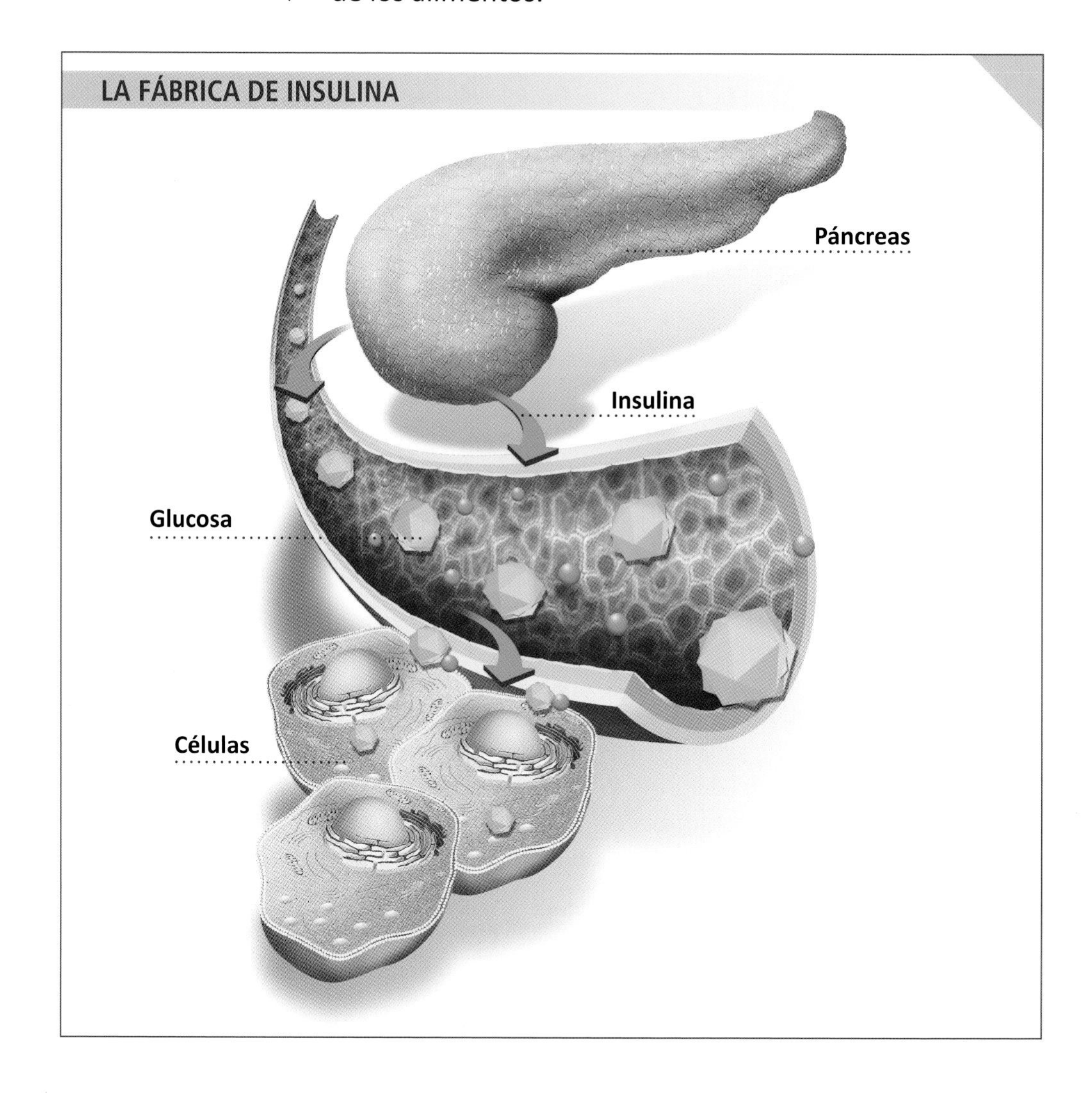

El combustible del cuerpo

Así como un automóvil necesita combustible para funcionar, el organismo necesita **energía**, que se obtiene de los **alimentos**. La energía más rápida y sana para las células proviene de los **hidratos de carbono** (pan, cereales, legumbres, azúcar, frutas, etc.) y se consume en el momento. La energía de reserva se mantiene en el **tejido adiposo** (los rollitos) y la que ayuda a que el cuerpo crezca o se mantenga en buen estado está en las **proteínas** (carnes, pescados, huevos, etc.).

A QUIÉNES AFECTA

La cantidad de casos de **diabetes mellitus** está aumentando anualmente en todo el mundo. Esta enfermedad **afecta** a millones de personas de ambos sexos, de todas las edades, condición socioeconómica y cultural. Según la **Federación Internacional de Diabetes**, hay más de 366 millones de personas con diabetes. La diabetes se está transformando en una epidemia mundial relacionada con el rápido aumento del sobrepeso, la obesidad y el sedentarismo.

La reserva

En un día completo, el organismo pasa por dos períodos: la etapa **alimentaria** y el **estado de ayuno**. Durante la **alimentación** los **nutrientes** que se absorben no se usan inmediatamente, sino que se depositan como **reserva** para utilizarse en otro momento. La **glucosa**, uno de estos nutrientes, se almacena principalmente en el **hígado** y en los **músculos**.

Los hidratos de carbono proveen energía lista para ser usada.

Calorías

La Organización Mundial de la Salud establece que el aporte calórico necesario para un adulto en actividad es de 2000 a 2500 Kcal/día para los varones y de 1500 a 2000 Kcal/día para las mujeres.

Fallas

Si falla la insulina, la glucosa no puede ingresar en las células y se acumula en la sangre.

▸▸ La llave de la glucosa

En el **proceso de la digestión** los alimentos se transforman, los **nutrientes** pasan a la **sangre** para ser utilizados y es allí donde aparece la **insulina**. Todas las células del cuerpo **necesitan glucosa** para vivir, pero la glucosa no puede penetrar en las células sin la ayuda de la insulina. La insulina llega a cada una de las células y actúa como una llave que abre y permite que la glucosa entre en la célula y pueda ser transformada en energía.

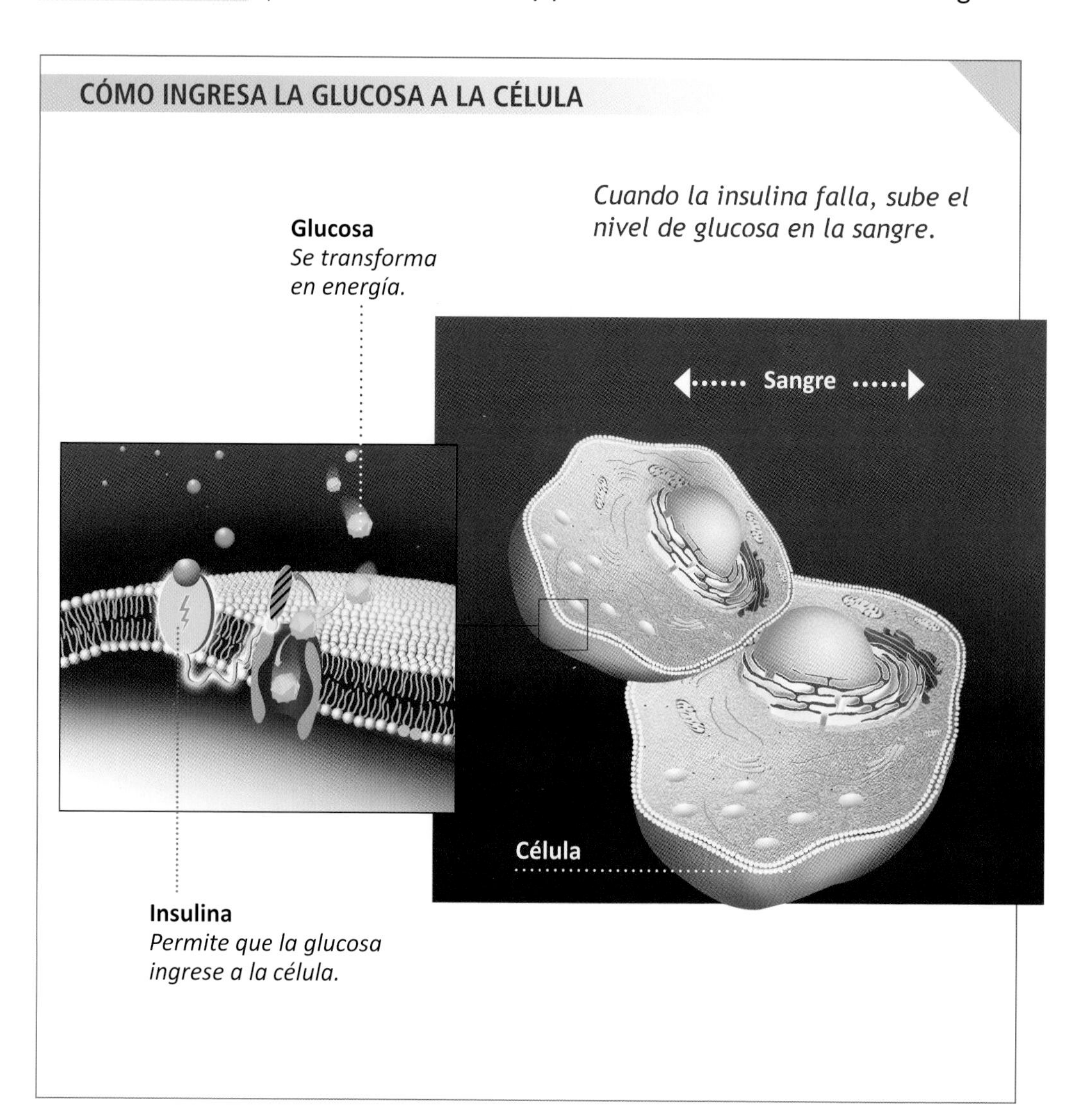

Secreción de insulina

En las personas que no tienen diabetes la secreción de insulina varía de forma automática.

Qué pasa en la diabetes

El **páncreas** funciona como un **ordenador** que segrega la cantidad de insulina adecuada para mantener la **glucemia** dentro de los **límites normales**. Al comer, sobre todo si se ingieren muchos **hidratos de carbono**, especialmente dulces, el páncreas segrega **más insulina**; cuando se está en **ayuno** o se realiza **ejercicio físico**, el páncreas segrega **menos insulina**.

La **diabetes** provoca la **falla** de este proceso que realiza el páncreas. La mayoría de los **diabéticos** tiene **insulina** pero esta no puede actuar correctamente porque su presencia es **escasa** en el organismo.

Así la **glucosa** permanece en la **sangre** y se producen las complicaciones.

Medidor de glucosa o glucómetro.

Tipos de diabetes

Existen distintos **tipos de diabetes** según el **origen** de la enfermedad. La asignación de una persona a uno u otro tipo depende, entre otros factores, de las circunstancias en que se produzca el **diagnóstico**, la **intensidad** inicial de la **hiperglucemia** y la presencia de **enfermedades** o tratamientos relacionados.

La diabetes se pueden clasificar en:

- **Diabetes tipo 1**
- **Diabetes tipo 2**
- **Diabetes mellitus gestacional**
- **Otros tipos específicos**

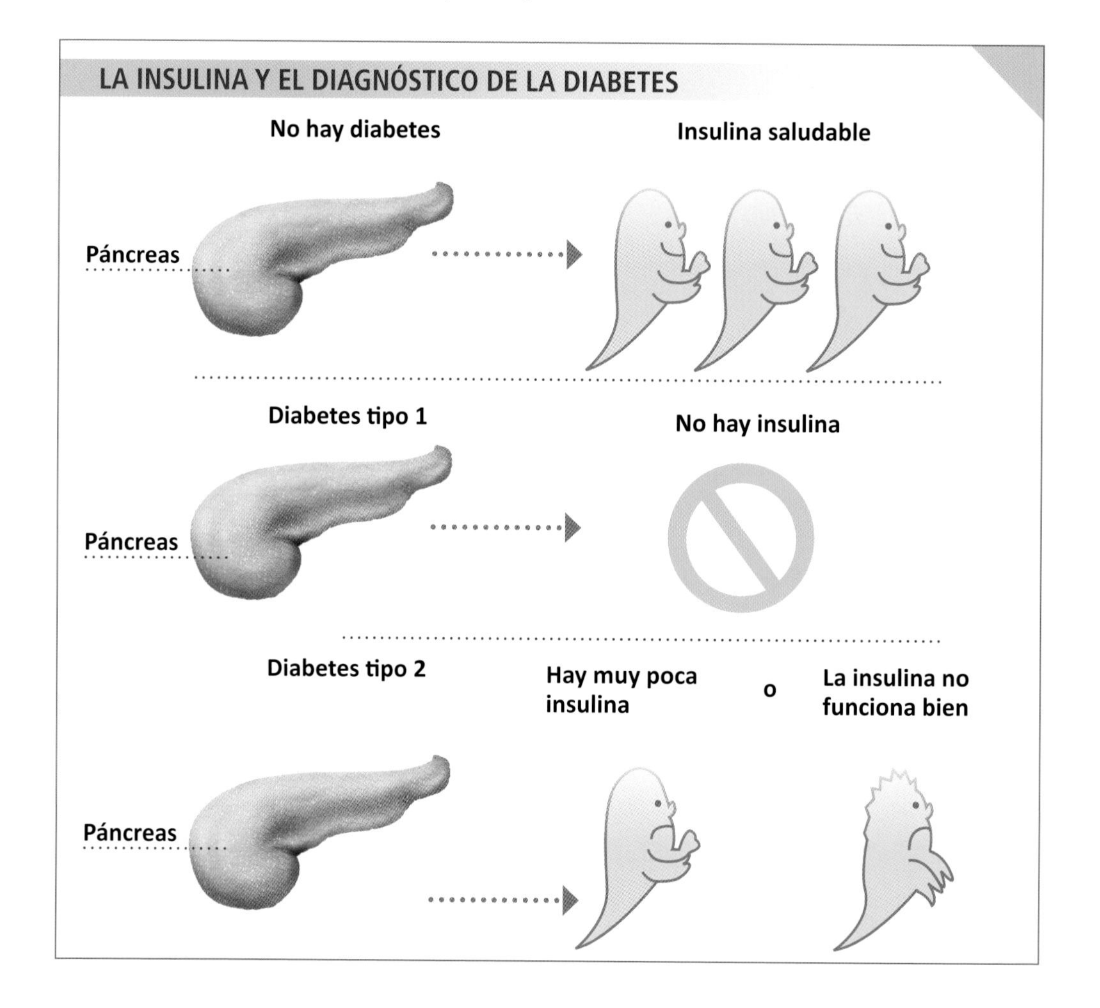

Diabetes tipo 1

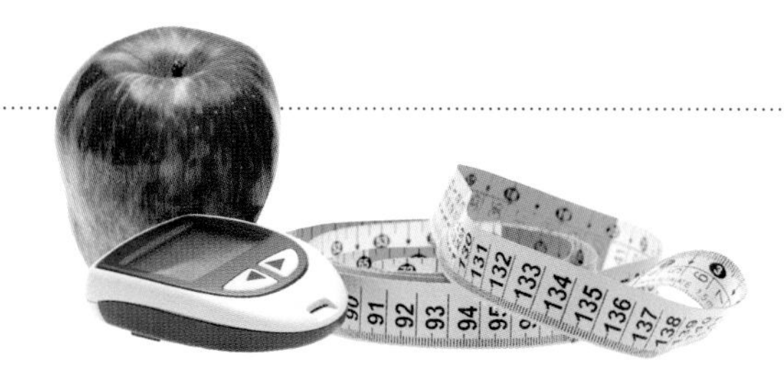

A este tipo de **diabetes** años atrás se la denominaba **diabetes mellitus insulinodependiente** o **juvenil**. En general se diagnostica inicialmente en niños, adolescentes o jóvenes. En esta forma de diabetes, las células del páncreas ya no producen insulina porque el sistema inmunitario del cuerpo las ha atacado y destruido.

Características de la enfermedad

La **diabetes tipo 1** es una **enfermedad autoinmune** crónica en la que existe una **destrucción selectiva** de las **células** del **páncreas**. El cuerpo no las reconoce como parte del organismo debido a que presentan una alteración genética. Así, son las propias **defensas** las que terminan desencadenando la **afección**. La lesión en las células del páncreas hace que disminuya la presencia de insulina en el organismo y, por lo tanto, decrezca su producción.

Cuándo se diagnostica

Generalmente, se diagnostica a **edades tempranas** (entre los 10 y los 12 años). Sin embargo también se puede diagnosticar en **adultos**. Existe un tipo de diabetes denominada **LADA** (en inglés, *Latent Autoimmune Diabetes of the Adult*) de características autoinmunes que se presenta en personas de más de **35-40 años**.

¿Es hereditaria?

Como en la mayoría de las **enfermedades autoinmunes**, el proceso resulta de la interacción de **factores ambientales** y **genéticos**. Poco se conoce respecto a los factores ambientales que pueden desencadenar esta enfermedad pero se han reconocido algunos de los **factores genéticos**, que hacen susceptible a un determinado individuo a padecer diabetes. Cuando se habla de un factor genético no quiere decir necesariamente que el individuo herede la enfermedad. En realidad lo que se adquiere genéticamente es la **susceptibilidad** a la **afección**, esto significa con mayores probabilidades de padecer diabetes.

Tratamiento

Por lo general, en el momento del diagnóstico no es necesario comenzar a administrar insulina, aunque esto será imprescindible a medida que evolucione la enfermedad. El **tratamiento** de la diabetes tipo 1 consiste en la **administración de insulina** u otra medicina inyectable, **comer de forma** sana, realizar **actividad física** con regularidad, y **controlar** la **presión arterial** y los niveles de **colesterol**.

Los controles médicos son fundamentales en el manejo de la diabetes.

Otras enfermedades

Una persona con diabetes tipo 1 puede tener, además, otras enfermedades autoinmunes, por ejemplo, hipotiroidismo (falla en el funcionamiento de la tiroides).

Diabetes tipo 2

Esta forma de diabetes corresponde a la que anteriormente se denominaba **diabetes mellitus no insulinodependiente** o **del adulto**, ya que, generalmente, se diagnosticaba en **mayores de 40 años**. Sin embargo, en la actualidad son cada vez más frecuentes los casos de este tipo de diabetes en **jóvenes**, **adolescentes** y **niños** debido a la **mala alimentación** y el **sedentarismo**.

En qué consiste

Este tipo de diabetes comienza, generalmente, con la **resistencia** a la **insulina**, una afección que hace que las **células adiposas**, **musculares** y del **hígado** no utilicen esta hormona de forma adecuada. Al principio, el **páncreas** aumenta la producción de insulina pero, con el tiempo, **pierde la capacidad** de secretar suficiente cantidad para mantener los **niveles adecuados de azúcar** de nuestro organismo. El **sobrepeso** y la **falta de actividad física** aumentan las probabilidades de que se presente la diabetes tipo 2.

Complicaciones crónicas 

En la diabetes tipo 2, al momento del diagnóstico, el 50 % de las personas tiene alguna complicación.

Sobrepeso y diabetes tipo 2

El 80 % de las personas que padecen este tipo de diabetes son obesas. Los síntomas de la diabetes pueden desaparecer cuando se pierde el exceso de peso con una dieta saludable. La diabetes tipo 2 es prevenible. Treinta minutos de actividad física de intensidad moderada casi todos los días y una dieta saludable pueden reducir drásticamente el riesgo de desarrollarla.

Una enfermedad disimulada

A diferencia de la diabetes tipo 1, que se diagnostica por una **descompensación repentina** por la **falta de insulina** y por la **acumulación de glucosa** en **sangre**, en la mayoría de los casos de diabetes tipo 2, el **diagnóstico** pasa **desapercibido** durante años ante la **ausencia** de otros **síntomas** y ante la **lenta evolución**. Por lo tanto, en el momento de reconocer por primera vez la enfermedad, son ya evidentes las **lesiones** propias de algunas **complicaciones crónicas** de la diabetes: **daños** en los **ojos**, riñones u otros órganos.

Factores de riesgo para desarrollar diabetes tipo 2:

- Familiar de primer grado con diabetes.
- Niveles de glucosa en sangre. mayores a los normales.
- Obesidad/Sobrepeso.
- Enfermedad cardiovascular.
- Hipertensión arterial.
- Colesterol alto (dislipidemia).
- Diabetes gestacional.
- Madres de niños nacidos con peso mayor a 4 k.

Diabetes gestacional

Este tipo de diabetes se puede definir como una alteración del metabolismo de los hidratos de carbono que se inicia o se reconoce por primera vez durante el embarazo.

Cómo se produce

La diabetes gestacional comienza cuando el **cuerpo no es capaz de producir** y **usar** toda la **insulina** que necesita para el embarazo. Sin suficiente insulina, la **glucosa** no puede separarse de la **sangre** y convertirse en **energía**. De esta manera, se **acumula en la sangre** hasta alcanzar **niveles muy elevados**.

Sus posibles causas

Una de las posibles causas de este tipo de diabetes puede estar relacionada con la placenta, ya que sus hormonas ayudan al desarrollo del bebé, pero también pueden impedir la acción de la insulina en el cuerpo de la madre. A este problema se lo denomina **resistencia a la insulina**.

La diabetes gestacional también se conoce como intolerancia a la glucosa durante el embarazo.

Riesgos para el embarazo

La diabetes gestacional aumenta el riesgo de diversas complicaciones obstétricas como: sufrimiento fetal, muerte intrauterina, partos por cesárea y problemas neonatales. Sin embargo, no incrementa la probabilidad de malformaciones congénitas.

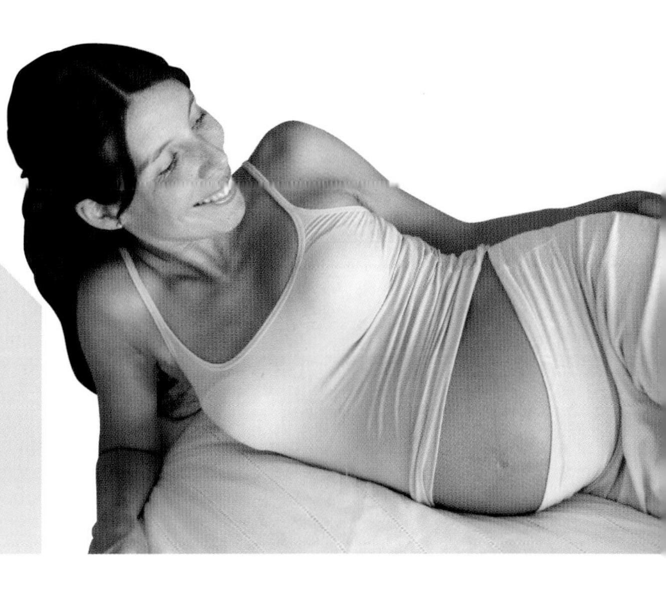

La importancia del diagnóstico

Para determinar la presencia de diabetes gestacional, existe un examen muy sencillo que se denomina **prueba oral de tolerancia a la glucosa**. Es muy importante que las mujeres embarazadas se realicen esta prueba entre las **semanas 24 y 28 del embarazo** para detectar este trastorno.

Tratamiento

El objetivo del tratamiento es **mantener** los **niveles** de **glucosa** dentro de los límites **normales** y controlar también el desarrollo del bebé. Por lo general, esto se consigue solo con una **dieta saludable**, **disminuyendo** el consumo de **dulces** y realizando **actividad fisica** adecuada a la etapa del embarazo. Cuando no son suficientes estas medidas, el médico prescribirá **medicamentos** orales o inyectables.

Factores de riesgo

En caso de existir factores de, riesgo para este tipo de diabetes se recomienda hacer la prueba oral de tolerancia a la glucosa en las primeras semanas del embarazo.

¿Desaparece luego del parto?

Algunas mujeres presentan **diabetes gestacional** durante las **últimas etapas del embarazo**. Aunque en general desaparece después del parto, una mujer que haya desarrollado diabetes gestacional tiene **mayor probabilidad** de presentar **diabetes tipo 2**.

Síntomas

La diabetes gestacional puede ser **asintomática** o presentar algunos de estos **síntomas**:

- Fatiga.
- Visión borrosa.
- Infecciones frecuentes.
- Náuseas y vómitos.
- Más ganas de orinar.
- Aumento de la sed.
- Pérdida de peso.

Otros tipos de diabetes

Existe una gran cantidad de tipos de diabetes pero que solo representan menos de un 10 % de los casos. Entre ellas se encuentran la diabetes **MODY** (por su nombre en inglés *Maturity Onset Diabetes in the Young*) y otras asociadas con enfermedades o la ingesta de medicamentos que alteran la secreción o la acción de la insulina.

Diabetes tipo MODY 2

Respecto a la diabetes tipo MODY actualmente se describen **cinco variantes**. Las formas más **frecuentes**, son **MODY 2** y **3**. Los pacientes con **MODY 2** presentan desde edades tempranas una **hiperglucemia leve** que se mantiene estable a lo largo de la vida y que casi no requiere tratamiento farmacológico. Rara vez presenta las complicaciones específicas de la diabetes.

Las personas con prediabetes tienen más posibilidades de padecer enfermedades cardiovasculares.

Diabetes tipo MODY 3

En el caso de **MODY 3** existe un progresivo **deterioro** de la **tolerancia** a la **glucosa** desde la pubertad, muchas veces con síntomas. En más de la mitad de los casos requiere el uso de **antidiabéticos** orales o **insulina** para el control de la enfermedad. En los pacientes con este tipo de diabetes se presentan con frecuencia complicaciones crónicas asociadas con la diabetes.

La diabetes en números 

Según datos de la Organización Mundial de la Salud:

- En todo el mundo, cada año 3.2 millones de muertes son atribuidas a la diabetes.
- Una de cada 20 muertes se atribuye a la diabetes.
- Por lo menos una de cada diez muertes en adultos de 35 a 64 años de edad, es atribuida a la diabetes.
- Tres cuartas partes de las muertes en las personas menores de 35 años de edad con diabetes son debidas a esta condición.

¿Qué es la prediabetes?

Es un estado que se produce cuando los niveles de **glucosa** en la **sangre** de una persona están más **elevados** que lo normal, pero **no lo suficientemente altos** como para diagnosticar diabetes. Es probable que, a futuro, esa persona presente la enfermedad y que, posiblemente, ya esté experimentando los efectos adversos que provoca.

¿Se puede prevenir?

Afortunadamente, cambiando el **estilo de vida**, teniendo una alimentación **adecuada** y realizando **actividad física**, las personas con prediabetes pueden retrasar o **prevenir** la aparición de la **diabetes tipo 2**.

Derribando Mitos

"Un nivel alto de glucosa en sangre es normal en algunas personas."

Si los niveles de glucosa en sangre no están dentro de los parámetros para diagnosticar diabetes, se está frente a un caso de intolerancia a la glucosa o prediabetes. En estos casos, los controles tienen que ser más rigurosos debido a que a largo plazo se puede presentar la enfermedad.

¿Cómo se detecta?

En sus estados iniciales la diabetes suele ser silenciosa, es decir, no presenta síntomas. Esto la hace muy peligrosa, porque cuando aparecen las señales de alarma, ya puede haber complicaciones irreversibles.

Dado que la diabetes puede pasar desapercibida durante bastante tiempo, es de suma importancia la **detección temprana de la enfermedad**. El **diagnóstico precoz** de la diabetes ayuda a identificar las situaciones de **riesgo**. Esto permite llevar a cabo las medidas preventivas, sobre todo la **modificación del estilo de vida**, y evitar así que avance.

▸▸ Cómo se diagnostica

Para diagnosticar a una persona como diabética se realiza una serie de **estudios** que, generalmente, empieza con un **análisis de sangre**. Una vez diagnosticada la enfermedad, se solicitarán más exámenes para determinar si ya se encuentra algún **órgano dañado**. Por ejemplo, análisis de orina para evaluar la función renal.

Pruebas diagnósticas

Los niveles de glucosa

Se considera **normal** una **glucemia** en **ayunas menor** a **110mg/dL** (o 100 mg/dL para la Asociación Estadounidense para la Diabetes) en personas sin factores de riesgo de diabetes.
Cuando el médico sospecha que una persona, por sus antecedentes, tiene un **riesgo** aumentado de padecer **diabetes** pide realizar una serie de exámenes para confirmar o descartar la diabetes.
A continuación veremos cuáles son los más importantes.

EXÁMENES DE SANGRE

Existen diversos tipos de análisis de sangre para diagnosticar diabetes. Entre ellos los que más se utilizan son:

Nivel de glucemia en ayunas

Es un examen que mide la cantidad de glucosa en una muestra de sangre venosa. El examen se puede hacer de dos maneras: después de no haber comido nada durante al menos 8 horas (en ayunas) o en cualquier momento del día (aleatorio o al azar). Si el examen de glucemia se hizo en ayunas, un nivel entre 70 y 100 miligramos por decilitro (mg/dL) se considera normal. Si el examen fue aleatorio, los resultados normales dependen de cuándo fue la última vez que la persona comió.
En pacientes sin diabetes los niveles de glucemia estarán por debajo de 125 mg/dL.

LAS PRIMERAS SEÑALES

La diabetes tipo 2, generalmente, presenta una prolongada etapa asintomática, que se caracteriza por hiperglucemia leve, resistencia a la insulina y disminución de la capacidad de secreción de esta hormona. Entonces si la enfermedad es detectada a tiempo, la progresión a la diabetes puede ser reducida principalmente con la incorporación de actividad física y una alimentación saludable.

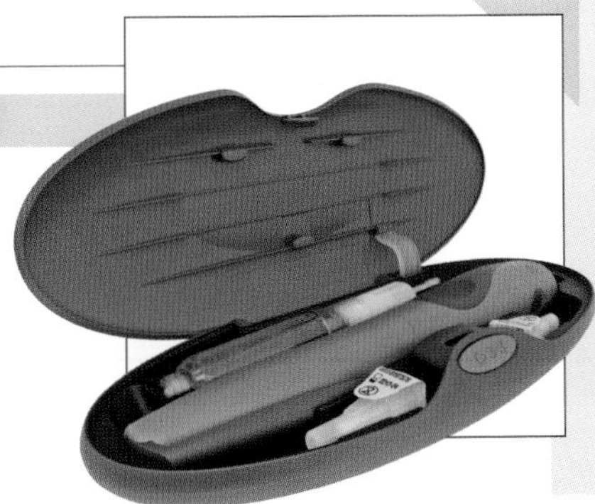

Prueba de tolerancia a la glucosa oral

Antes de que el examen comience, se tomará una muestra de sangre en ayunas. Luego, se le solicita al paciente que tome un líquido que contiene una cierta cantidad de glucosa (por lo regular 75 gramos en 375 cc de agua). Se le toman muestras de sangre nuevamente a los 120 minutos después de beber la solución. Durante este lapso la persona debe estar en reposo sin fumar ni comer. El valor normal es menor o igual a 140 mg/dL pasadas las 2 horas de la ingesta.

Examen de hemoglobina A1c (hemoglobina glicosilada)

Este examen de rutina es regularmente usado para vigilar los niveles de glucosa en la sangre en pacientes con diabetes, pero desde 2010 ha sido recomendado por la American Diabetes Association (Asociación Estadounidense para la Diabetes) como otra opción para diagnosticar diabetes. Se considera normal una hemoglobina A1c menor de 5.7%, entre 5.7% y 6.4% es alterada o prediabetes y un valor de 6.5% o superior diagnostica diabetes.

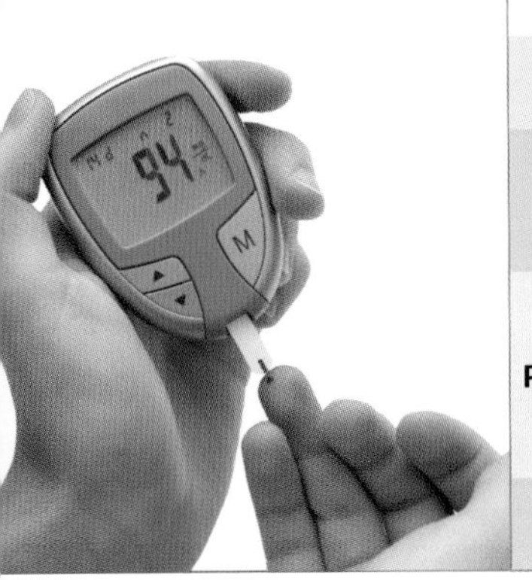

Cómo interpretar los resultados:

	Glucemia en ayunas	Prueba de tolerancia oral a la glucosa (a las 2 hs)
Normal	Menor a 110 mg/dL (100 mg/dL para la ADA)	Menor 140 mg/dL
Prediabetes	110- 125 mg/dL (glucemia alterada en ayunas)	140 -199 mg/dL (intolerancia a la glucosa)
Diabetes	Mayor o igual a 126 mg/dL	Mayor o igual a 200 mg/dL

Factores de riesgo

Mayor riesgo

Existe un grupo de condiciones cuya presencia determina un mayor riesgo de padecer diabetes y, por lo tanto, debe estudiarse a las personas que las presenten.

Un **factor de riesgo** es un evento que aumenta la **probabilidad** de padecer una **enfermedad**, aunque no siempre la causa. Por ejemplo, la diabetes no es el resultado de alimentarse mal o de tener sobrepeso, aunque tener algunos kilos de más o no hacer actividad física aumenta el riesgo de desarrollar diabetes tipo 2.

Factores de riesgo para diabetes

Deben realizarse exámenes para diagnosticar diabetes todas las personas con **obesidad** y **sobrepeso** y alguno de los siguientes factores de riesgo:

- **Antecedentes familiares de diabetes** (familiar en primer grado: madre, padre, hermano, hermana).
- **Alteraciones** previas en estudios de **sangre** para detectar diabetes.
- **Antecedente de diabetes** gestacional o parto de un bebé mayor a 4.1 k.
- Síndrome del **ovario poliquístico**.
- **Hipertensión** (presión arterial superior a 140/90 mm Hg, o tratamiento antihipertensivo).
- **Colesterol elevado**.
- Historia de **enfermedad cardiovascular**.
- **Sedentarismo**.
- **Raza** (negros, nativos americanos, asiáticos y de las islas del Pacífico) o grupo étnico de alto riesgo (hispanos).
- Otras condiciones clínicas asociadas con la **resistencia a la insulina** (obesidad grave y otras).

Conocer los factores de riesgo ayuda al diagnóstico temprano de la diabetes.

En los **niños** se deben realizar los estudios diagnósticos cuando tienen **sobrepeso** y más de dos de los siguientes factores de riesgo:

- **Familiar de 1° o 2° grado** con **diabetes** tipo 2.
- Madre con **diabetes**.
- Condiciones asociadas con la **resistencia a la insulina**.
- **Pubertad precoz**.

¡ATENCIÓN CON LA PREDIABETES!

La prueba de tolerancia a la glucosa oral puede permitir detectar la prediabetes en los siguientes casos:

a. Cuando da mal (sin llegar a ser diabetes) la **glucemia en ayunas.** Se la llama **glucemia alterada en ayunas (GAA)**.
b. Cuando da mal (sin llegar a ser diabetes) la prueba de tolerancia oral a la glucosa. Se la llama **intolerancia a la glucosa (ITG)**.

OTROS FACTORES DE RIESGO

Enfermedades virales

Hay algunos virus que pueden causar daños en órganos afectando la producción y la acción de la insulina.

Edad

Con el paso de los años disminuye la capacidad que tiene el organismo de regenerar las células que producen insulina. Esto hace que, por lo tanto, aumente el riesgo de padeceder diabetes.

Tabaquismo

Las personas que fuman tienen mayor riesgo de desarrollar diabetes tipo 2.

Estrés

Combinados con la ansiedad, la vida sedentaria y la mala alimentación son factores con alta incidencia en el desarrollo de diabetes.

Señales de alerta y diagnóstico

Síntomas

Una persona con alguno de los síntomas enumerados debe recurrir al médico para descartar la posibilidad de padecer diabetes.

Con frecuencia, las personas con **diabetes tipo 2 no presentan síntoma** alguno al principio y es posible que no tengan manifestaciones clínicas durante muchos años. Por eso, deben realizarse los **exámenes diagnósticos** frente a la presencia de algún **factor de riesgo**. En cambio, las personas con **diabetes tipo 1** generalmente presentan una **descompensación** que hace pensar en diabetes.

Síntomas característicos

Una persona con diabetes mellitus tipo 2 o diabetes mellitus tipo 1 descompensada puede presentar los siguientes síntomas:

- **Infección en la vejiga**, el riñón, la piel u otras infecciones que son más frecuentes o sanan lentamente.
- **Fatiga**.
- **Hambre** (polifagia).
- **Aumento de la sed** (polidipsia).
- **Aumento de la micción** (poliuria).

El diagnóstico

Para que una persona sea diagnosticada como **diabética** tiene que darse alguna de estas **tres situaciones**:

- **Dos glucemias en ayunas** realizadas en dos días distintos, con valores **mayores o iguales a 126 mg/dL**.
- La presencia de alguno de los síntomas de la diabetes más una **glucemia medida al azar** con **valores mayores** o **iguales a 200 mg/dL**.
- **Glucemia igual o mayor a 200 mg/dL** luego de la prueba de tolerancia oral a la glucosa.

Pruebas más eficientes

La **prueba de tolerancia oral a la glucosa** identifica más pacientes con diabetes que la glucemia en ayunas, pero en algunos países esta prueba no se aplica por sus mayores costos y complejidad. Por lo tanto, se opta por realizar la **glucemia** en **ayunas** en **días diferentes**.

Falta de diagnóstico

Es más probable que un hombre tenga diabetes sin diagnosticar que una mujer. Una posible razón es que los hombres visitan con menos regularidad al médico.

UN CAMBIO EN EL DIAGNÓSTICO

Antes de 1997, el diagnóstico de diabetes era definido por la Organización Mundial de la Salud (OMS) y la *American Diabetes Association* (ADA) por la presencia de una glucemia en ayunas mayor a 140 mg/dL o mayor a 200mg/dL, 2 horas después de la ingesta de 75 gramos de glucosa (prueba de tolerancia oral a la glucosa). Sin embargo, luego se decidió bajar el nivel en ayunas a 126 mg/dL debido a que con esos valores ya se pueden detectar complicaciones microvasculares y en la retina.

Diagnóstico

Alrededor del 50% de las personas con diabetes no tienen diagnosticada la enfermedad.

Marque con una cruz cada una de las respuestas a las siguientes preguntas:

1. ¿Tiene más de 65 años? SI - NO
2. ¿Ud. presenta sobrepeso u obesidad? SI - NO
3. ¿Realiza alguna actividad física con regularidad? SI - NO
4. ¿Tiene diagnóstico de presión arterial alta? SI - NO
5. ¿Su padre, madre o hermanos tienen diabetes? SI - NO
6. ¿Es Ud. una mujer que tuvo un hijo que pesó más de 4.100 kg al nacer? SI - NO

Si contestó 3 o más respuestas de manera afirmativa usted presenta riesgo de padecer diabetes. Consulte con su médico.

Derribando Mitos

"La diabetes tipo 2 no es tan grave como la tipo 1."

Cualquiera de las dos puede tener complicaciones graves si no se sigue el tratamiento adecuado. La diferencia está en que las personas con diabetes tipo 1 requerirán siempre insulina.

¿Cómo se trata?

El tratamiento de la diabetes se basa en tres pilares fundamentales: la alimentación, la actividad física y los medicamentos. Estos tres aspectos tienen la misma importancia y son complementarios.

Con frecuencia, se considera que es suficiente con cumplir el **tratamiento farmacológico** para mantener controlada la enfermedad. Los pacientes descuidan su **alimentación** y no le brindan importancia a la **actividad física**. Así como el médico receta los remedios, también debe controlar las comidas y los ejercicios físicos para mantener los niveles de glucosa.

▸▸ Diabetes tipo 2

En el caso de los pacientes con **diabetes tipo 2**, dado que es una **enfermedad crónica** y progresiva, será preciso modificar el **tratamiento** a lo largo de su **evolución** de una manera **escalonada**. Si no se alcanzan los objetivos en los primeros 2 a 4 meses, se debe intensificar la intervención.

Dieta saludable

Mantener el control

Colaciones

Se recomienda incorporar una colación después de la cena para así evitar que la glucemia disminuya en el curso de la noche.

Comer sano ayuda a lograr y mantener un **peso adecuado** para tener bajo **control** los **niveles** de **glucosa** en la sangre, así como también la **presión arterial**, el **colesterol** y prevenir **enfermedades cardiovasculares**.
Las personas con diabetes no tienen que comer alimentos especiales, sino solo **restringir** o disminuir algunas comidas y tener un control de las **cantidades** que se van a ingerir. Se aconseja realizar las cuatro comidas principales del día y consumir dos colaciones siempre que sea posible.

Algunos más, otros menos

Hay que prestar especial atención a los **hidratos de carbono**, dado que aumentan los niveles de la glucosa en la sangre. Existen **dos tipos de hidratos de carbono**, los **simples** que son de **rápida absorción** y llevan un **aumento inmediato de la glucemia**, como los azúcares, mermeladas, dulces, jaleas, miel, jugos de frutas, golosinas y gaseosas. Por otro lado, están los **hidratos de carbono complejos** que se caracterizan porque su **absorción** es más **lenta** en el organismo lo que hace que el aumento de la glucosa en sangre sea en forma moderada.
Se encuentran en panes, pastas, cereales, frutas enteras con cáscara y algunos vegetales.

Ideas prácticas:

Existen varias maneras de agregar fibra a la alimentación, por ejemplo: poniéndole salvado de avena al caldo o sopa de verduras, o al yogur en alguna colación. Ingerir con regularidad ensaladas de verduras crudas de hoja verde o verduras cocidas y, como postre, preferir una fruta cruda con su piel.

El consumo de fibras

Para las personas con diabetes se recomienda incorporar mayor cantidad de fibra diariamente en el plan de alimentación. La **fibra** disminuye los niveles de **glucemia** y **retrasa la absorción** de los **hidratos de carbono**. Además, contribuye a **disminuir** los valores de **colesterol** en sangre y favorece la pérdida de **peso** ya que produce saciedad. Está presente en el salvado de avena, los vegetales crudos, las frutas con piel, el arroz integral, las legumbres y las frutas secas.

LA CLAVE ES LA VARIEDAD

Al igual que para cualquier persona, se aconseja mantener una alimentación variada a lo largo del día. Ningún alimento proporciona todos los nutrientes necesarios, por lo tanto se deberán consumir al menos 5 de los 6 grupos de alimentos existentes: vegetales y frutas, cereales integrales, carnes (blancas y rojas), leche, yogur, quesos, y grasas. Siempre hay que tratar de ingerir mayor cantidad de vegetales y frutas y en lo posible evitar las grasas.

Consejos para una buena alimentación

• Consumir pastas, arroz, papa, batata, choclo o maíz y mandioca o yuca recalentados para que el almidón sea más resistente a la digestión y, de esa manera, se absorba más lento en el organismo.
• Evitar el puré y los jugos de frutas debido a que, cuanto más procesado, triturado o picado se encuentra un alimento, más rápido se absorbe.
• Agregar jugo de limón o vinagre a las comidas ya que los productos ácidos pausan la digestión y aumentan la saciedad.
• Disminuir el consumo de sal y alimentos con alto contenido de sodio debido a que favorecen el aumento de la presión arterial.

Simples y complejos

Se recomienda consumir hidratos de carbono complejos y evitar los simples.

¿QUÉ ALIMENTOS SE RECOMIENDAN?

Alimentos de libre consumo

Verduras y hortalizas

Espinaca, acelga, lechuga, brócoli, rúcula, radicheta, zapallito (calabacita), tomate (jitomate), coliflor, zanahoria cruda.

Condimentos

Ajo, pimienta, laurel, vinagre, mostaza, canela, perejil.

Infusiones y bebidas

Té, café, infusiones de hierbas, yerba mate, agua mineral, bebidas sin azúcar, jugos para preparar sin azúcar.

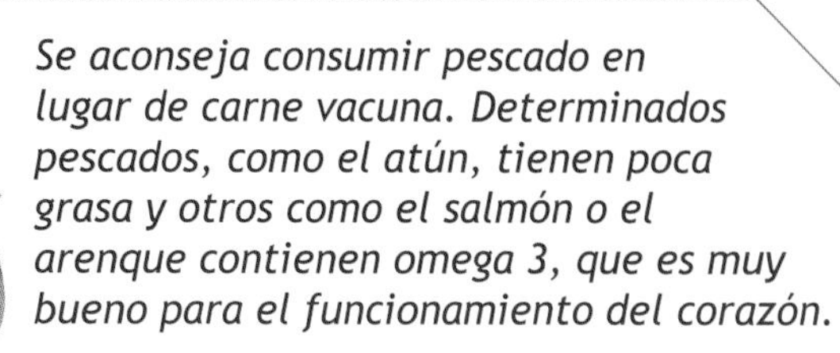

Se aconseja consumir pescado en lugar de carne vacuna. Determinados pescados, como el atún, tienen poca grasa y otros como el salmón o el arenque contienen omega 3, que es muy bueno para el funcionamiento del corazón.

Alimentos de consumo moderado

Cereales, pastas, arroz, papa, batata (camote), choclo (maíz), mandioca (yuca), banana (plátano), uva, pizza, panes y panificados, galletas de agua o salvado, barra de cereal.

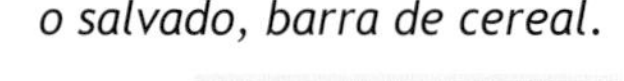

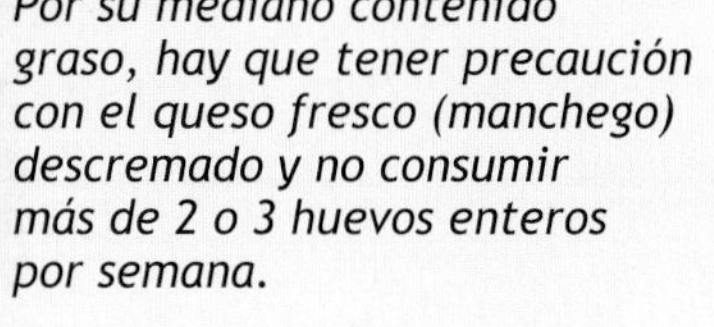

Por su mediano contenido graso, hay que tener precaución con el queso fresco (manchego) descremado y no consumir más de 2 o 3 huevos enteros por semana.

Alimentos de consumo restringido

Azúcar, tortas o pasteles, caramelos, galletas dulces, bebidas azucaradas, miel, pasteles, mermeladas comunes o reducidas en azúcar, leche condensada, helados (a excepción de los sin grasa y sin azúcar), fruta confitada, chocolates, golosinas, jugos exprimidos.
Manteca, carnes grasas, frituras, lácteos enteros, crema, aderezos (mayonesa, salsa golf o mil islas, kétchup), quesos enteros.

Actividad física

Ejercicios

Se recomienda realizar cualquier actividad física, como caminar, todos los días durante 30 minutos.

Caminar, nadar, bailar, andar en bicicleta o practicar deportes son excelentes formas de realizar **actividad física**. Mover el cuerpo es bueno para las personas que tienen diabetes debido a que ayuda a mantener el **peso adecuado**, favorece el mejor funcionamiento de la **insulina** para **bajar** la **glucosa en la sangre**, es bueno para el **corazón** y los **pulmones** y, además, brinda **energía**.

▸▸ Muchos beneficios

El **ejercicio** puede **disminuir** el requerimiento de **insulina**. Además, tiene otros **beneficios** como la **reducción** del riesgo de **enfermedades coronarias**, **cerebrovasculares** y de las **arterias periféricas**. Al cabo de unos minutos de realizar actividad física comienza a utilizarse la **glucosa circulante** en la sangre y es en esta fase cuando la **glucemia tiende a bajar**. Las **grasas** se utilizan permanentemente, aunque adquieren singular importancia en la **actividad física** con una duración mayor de **30 minutos**.

EQUILIBRIO CALÓRICO

La actividad física es uno de los componentes determinantes en el equilibrio calórico. En las personas diabéticas es un aspecto del tratamiento tan importante como la alimentación o la medicación. Además, la diabetes se asocia con otras enfermedades como hipertensión arterial o enfermedad coronaria, en las que el ejercicio también tiene su importancia como tratamiento.

Medicación y actividad física

Los diabéticos que utilizan medicación deben tomar algunas precauciones cuando realizan ejercicios físicos, en algunos casos pueden **reducir** las **dosis de insulina** o ingerir alguna **bebida** con **carbohidratos**, dependiendo de la duración y la intensidad del ejercicio.

Energía e hidratación

También se recomienda **comer** algún alimento **antes** de realizar **ejercicio** para evitar que el nivel de glucosa disminuya en exceso. Luego del ejercicio es importante la **hidratación** para **reponer energías**.

Actividad física

Beneficios físicos

- Disminuye la glucemia en personas con diabetes tipo 2.
- Mejora la sensibilidad a la insulina por 12 a 72 horas.
- Mejora la función cardiovascular.
- Disminuye los valores de tensión arterial.
- Contribuye al control de peso.
- Disminuye la grasa corporal.
- Mejora el metabolismo.
- Aumenta la fuerza y la flexibilidad.

Beneficios psicosociales

- Favorece cambios en la conducta alimentaria.
- Mejora la visualización del cuerpo.
- Aumenta la autoestima.
- Contribuye a abandonar el sedentarismo.
- Genera sensación de bienestar.
- Produce un efecto euforizante (liberación de endorfinas).
- Ayuda a la sociabilización y a la integración grupal.

Un buen calzado

Utilizar un calzado adecuado para realizar actividad física evita complicaciones en los pies.

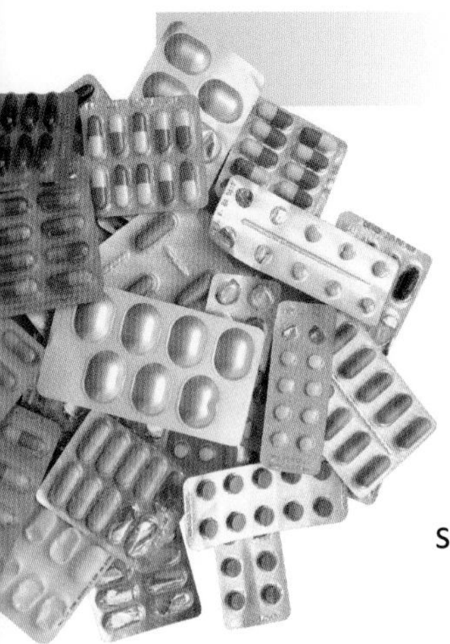

El tratamiento farmacológico

El **tratamiento** de cada paciente con diabetes es **personal**, es decir que se adecua al diagnóstico y estilo de vida de la persona. Por esto, es fundamental la **consulta periódica** con un profesional de la salud que realice el control y el seguimiento.

Drogas

El médico administrará cada una de las drogas indicadas para el tratamiento de la diabetes según el perfil del paciente.

¿Qué drogas se utilizan?

El tratamiento farmacológico de la diabetes no incluye solamente la utilización de **insulina**, sino que también existen **drogas específicas antidiabéticas**. Estas pueden **estimular la secreción** de insulina, **disminuir** la **resistencia** a la insulina o reducir la **absorción** de la **glucosa**.

Un fármaco para cada problema

La diabetes se produce por diferentes fallas en el organismo, por eso hay distintos tipos de fármacos. Cuando la insulina no puede hacer su trabajo en el organismo, se utilizan los **insulino sensibilizadores**, que son drogas que actúan una vez que la **insulina** es **producida por el páncreas**. En el caso de que el **páncreas no secrete la cantidad suficiente de insulina** se administran **medicinas** que **estimulan** esta secreción. Y si el **páncreas** directamente **no produce insulina** se debe suministrar esta sustancia de forma externa.

ORALES O INYECTABLES

Respecto a los medicamentos que se administran por vía oral, algunos se toman con las comidas y otros unos minutos antes. En el caso de los tratamientos con insulina es importante que el médico enseñe al paciente: a realizar autocontroles de la glucemia, conocer la dieta por raciones, manejar la técnica de suministro de la insulina, y a reconocer y tratar una hipoglucemia.

Aplicación de insulina

La **insulina** se aplica principalmente por **vía subcutánea**, **intramuscular** y, en ocasiones, por vía **endovenosa** (estas dos últimas en caso de **descompensación**). La **vía subcutánea** es generalmente utilizada en el tratamiento de **pacientes crónicos** y se aplica en **brazos**, **muslos**, **abdomen**, y parte superior de los **glúteos**. Existen distintos tipos de insulina (NPH, cristalina, aspártica, lispro, etc.) con diferentes tiempos de acción que se adaptan a las necesidades de cada persona en particular.

Cómo se debe conservar

La insulina debe conservarse en un **lugar fresco**, preferentemente en el **refrigerador** (fuera del congelador). Hay que estar atentos a la **fecha de vencimiento** debido a que la insulina vencida pierde su efectividad.

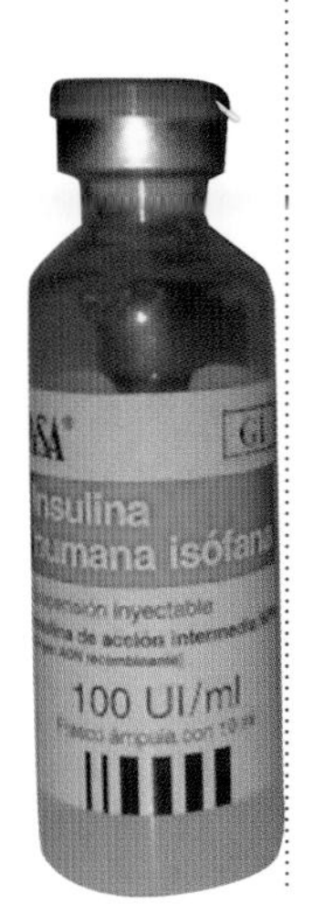

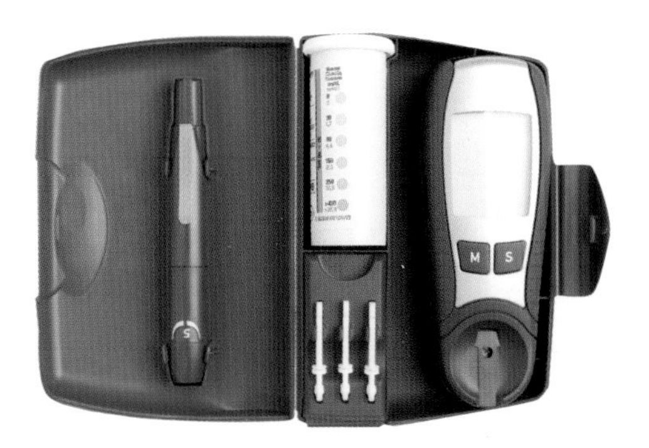

Presentaciones

La forma **tradicional** de presentación consiste en un **frasco ampolla** o **ampolleta** de **vidrio** con **tapón de goma** de **10 ml** de capacidad. De esta manera, para su administración se utiliza una **jeringa de 1 cm^3**. Actualmente, existen **aplicadores** en forma de **lapicera** o **pluma** que son muy prácticos para su aplicación y traslado.

¿En qué casos se administra insulina?

- Diabetes tipo 1.
- Diabetes gestacional.
- Diabetes tipo 2, cuando hubo:
  - Fracaso del tratamiento con antidiabéticos orales.
  - Descompensaciones hiperglucémicas agudas.
  - Otras enfermedades.
  - Embarazo.
  - Pérdida de peso inexplicable.

FORMA DE ADMINISTRACIÓN DE LA INSULINA

Atención

Antes de la aplicación de la insulina, el paciente debe lavarse bien las manos con agua y jabón.

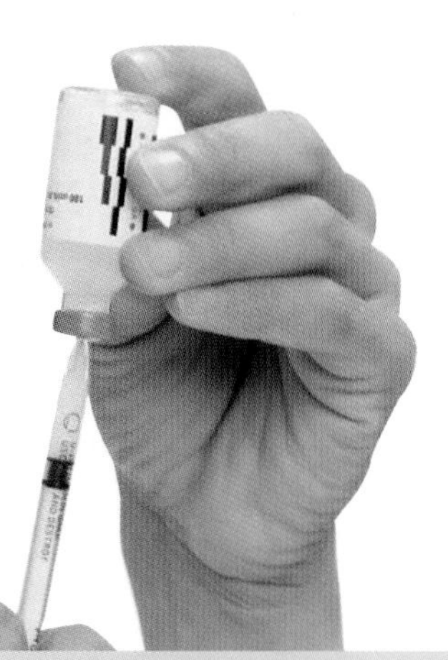

Presentación tradicional

Se agita el frasco suavemente, se carga la jeringa con la misma cantidad de aire que la dosis de insulina que se quiere inyectar, se pasa alcohol por la goma del frasco y después se pincha. Primero se introduce el aire aspirado y luego la dosis deseada. Se retira la aguja y la jeringa del frasco.

Importante

Es importante eliminar las burbujas con un golpe seco del dedo índice sobre la jeringa antes de pinchar la piel en la región elegida. El pinchazo debe ser a 90°. La persona debe aspirar para cerciorarse que no pinchó en un vaso sanguíneo y finalmente debe inyectar la insulina, retirar la aguja y jeringa y frotar la piel con alcohol.

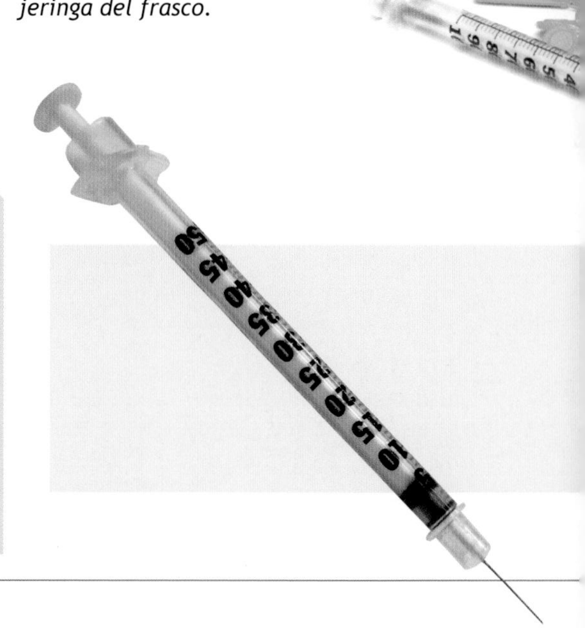

Aplicadores lapicera

Si el aplicador lapicera (pluma) o pen viene precargado, rotar suavemente la lapicera si es necesario homogeneizar la insulina y elevar la temperatura para que se acerque a la temperatura ambiente. Girar el selector de dosis para cargar las unidades indicadas. Sacar el capuchón que cubre la aguja e inyectar. Una vez que se termina la carga de insulina se debe desechar.
Si tiene cartuchos recargables, se conserva el dispositivo y se reemplazan los cartuchos.

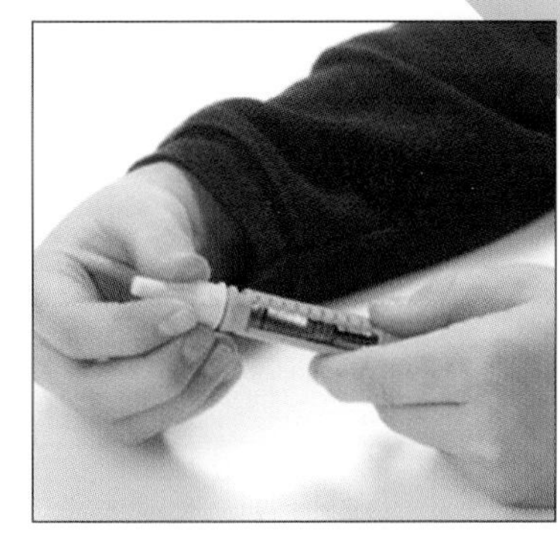

Se debe rotar los sitios de aplicación pues las inyecciones repetidas en el mismo lugar pueden causar una inflamación del tejido graso (llamado lipodistrofia) que se puede presentar como un aumento localizado en el tejido, lo que a su vez, retrasa la absorción de la insulina en esa zona.

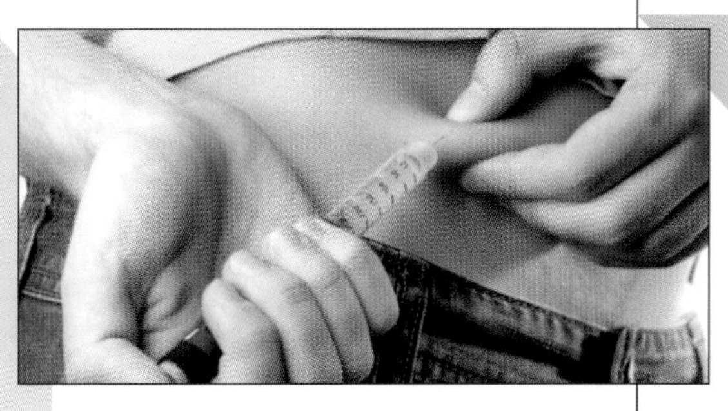

Dónde se aplica

ZONAS DEL CUERPO

Es importante cuidar la higiene en la zona de aplicación de la insulina para evitar infecciones.

Brazos:

Absorción rápida. Se recomienda para insulinas de acción rápida. Se debe inyectar en la zona externa-superior.

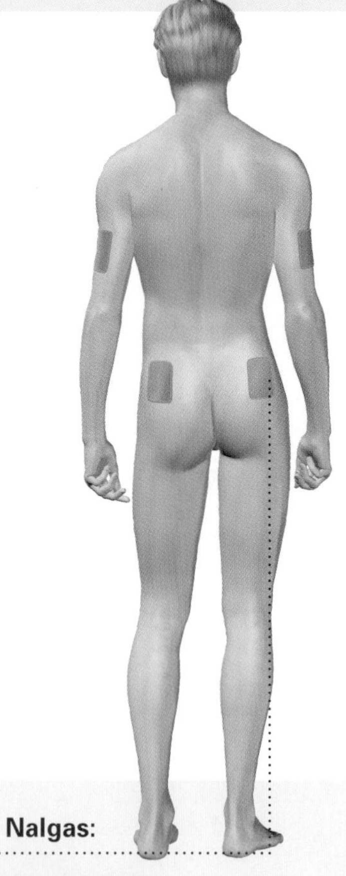

Abdomen:

Es la zona del cuerpo donde la insulina se absorbe más rápidamente. Por eso es ideal para las insulinas de acción rápida. Se debe evitar la zona próxima al ombligo.

Muslos:

Es donde la insulina se absorbe más lentamente. Se recomienda para insulinas de acción lenta. Debe inyectarse en la parte lateral-externa y superior.

Nalgas:

Absorción lenta. Ideal para las insulinas de acción lenta, debe inyectarse en la zona externa-superior.

Bomba de insulina

La **bomba de insulina** es un artefacto que permite administrar **insulina** de manera **continua** al organismo por medio de un **catéter** durante todo el día. Esto se debe reforzar con **dosis adicionales de insulina** en cada comida.

Ventajas

La bomba mantiene pequeñas dosis durante la alimentación, el trabajo, o al momento de dormir. Permite un **control** más estricto de la cantidad de insulina que se administra y tiene la ventaja que al estar conectada de forma permanente, la persona no tiene que pincharse cada vez que necesita aplicarse la insulina.

Un método sencillo

La bomba de insulina es sencilla y **segura de operar**, pero primero hay que aceptarla, y luego aprender y entrenarse.

Para quiénes se recomienda

Este dispositivo, generalmente, se indica en pacientes con controles diabéticos muy variables y difíciles de controlar. También está recomendado para el uso en niños.

Catéter de conexión

Es un tubo fino de plástico que conecta la bomba con el tejido subcutáneo. Termina en una cánula de plástico localizada bajo la piel.

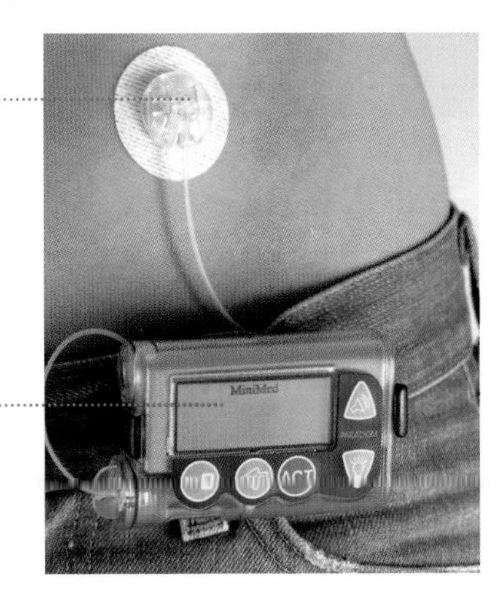

Infusor

Es una microcomputadora, del tamaño de un teléfono móvil, que debe ser programada previamente por el médico o el usuario, para infundir insulina de manera continua. Consta de: pantalla, batería, botones para programación y reservorio de insulina.

¿CÓMO SE MIDE LA GLUCOSA?

*La **glucemia** se mide con **aparatos portátiles** llamados **glucómetros**, que permiten al usuario tener controlado sus **niveles de azúcar** en la sangre en cualquier momento y lugar. Hay distintos modelos y marcas.*

El uso del glucómetro paso a paso:

1

Lavar las manos con agua y jabón.

2

Con la aguja (denominada lanceta) hacer una punción en el área de la yema de los dedos. Si la punción se hace más hacia los lados puede ser menos dolorosa que hacia el centro del dedo.

3

La pequeña gota de sangre debe ser depositada en la parte de la tira reactiva que está diseñada para ello.

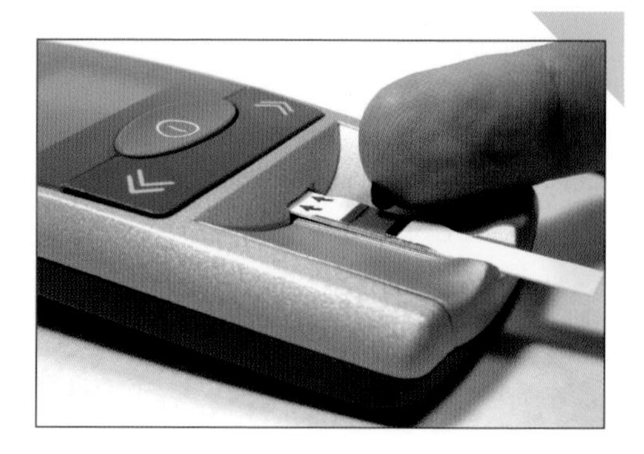

¡Atención!

En algunos glucómetros se debe poner primero la tira reactiva en el aparato y luego colocar la sangre, por lo cual se debe leer el instructivo del dispositivo antes de utilizarlo. Si el resultado no aparece o marca un error, hay que repetir el procedimiento con una tira reactiva nueva.

4 *Limpiar el dedo con alcohol y presionar la herida por un minuto o hasta que deje de sangrar.*

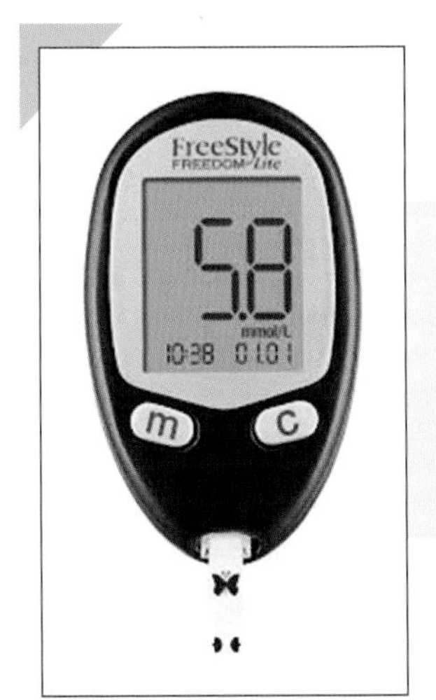

5 *Colocar la tira en el glucómetro y esperar el tiempo necesario para la lectura.*

6 *Leer el resultado y anotarlo con fecha y hora.*

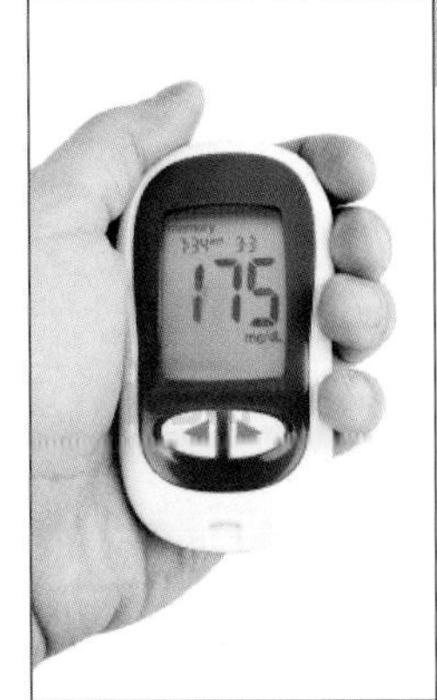

Unidad de medida:

De manera convencional los resultados de glucosa se miden en miligramos por decilitro de sangre (mg/dL).

Los controles diarios

Se llama **automonitoreo** a la **medición** que hace el propio **paciente** de la **glucosa** en **sangre** (**glucemia**) y en **orina** (**glucosuria**). Facilita que la persona participe activamente en el control y tratamiento de su enfermedad, verificando el grado de alcance de sus metas terapéuticas y, también, permite la **rápida detección de descompensaciones**.

Quiénes deben realizarlo

Si bien el **automonitoreo** glucémico se puede indicar a todos los pacientes con diabetes mellitus, es especialmente necesario en personas con **diabetes tipo 1** y **tipo 2** que están recibiendo **insulina**.

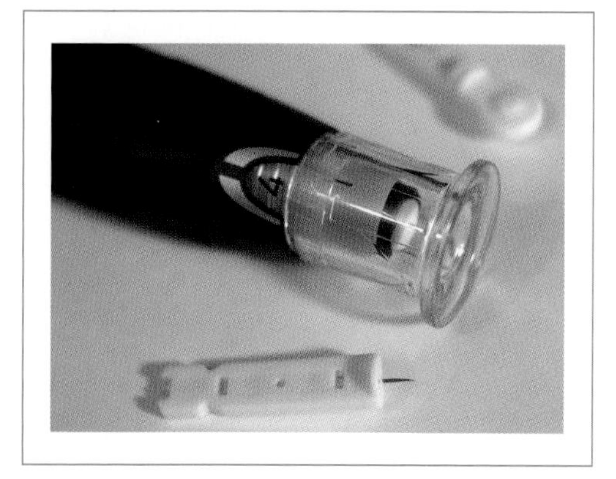

Los momentos para hacer la medición

Para cada paciente los niveles de glucosa a los que se quiere llegar son diferentes. De manera general, se busca alcanzar ciertas **metas** en los niveles de **glucosa** en **ayunas** y después de **comer**. Por esta razón es que en esos momentos el paciente debería **medir** su **glucemia**.

El registro de resultados

Es muy importante llevar un **registro minucioso del automonitoreo**, junto con el **tipo** y **dosis** de **fármacos orales** o la insulina empleados. También se deben registrar las **situaciones atípicas** que se pudieran presentar, por ejemplo omisión involuntaria de un medicamento, enfermedad, ejercicio de intensidad y duración anormal. (En el anexo se presenta un modelo de planilla del monitoreo).

La glucosuria tiene la ventaja de ser indolora y de tener un bajo costo, aunque el inconveniente es que detecta niveles muy elevados.

Glucosuria

La **medición** de la presencia de **azúcar** en la **orina**, glucosuria, se realiza mediante **tiras reactivas**. La glucosa aparece en la orina cuando los valores en sangre superan los **180 mg/dL** (valor de glucemia muy elevado). Informa cambios ocurridos en la cantidad de glucosa en sangre de 2-3 horas previas a la medición (tiempo de acumulación de orina en la vejiga).

Otros controles

Cuando la diabetes está muy descompensada el cuerpo comienza a utilizar las grasas debido a la falta de insulina.
Esto genera la producción de sustancias llamadas **cuerpos cetónicos** que se eliminan en la orina (cetonuria). La cetonuria es más común en **diabéticos tipo 1** que en los **pacientes tipo 2** y se acompaña generalmente de **hiperglucemia** grave.

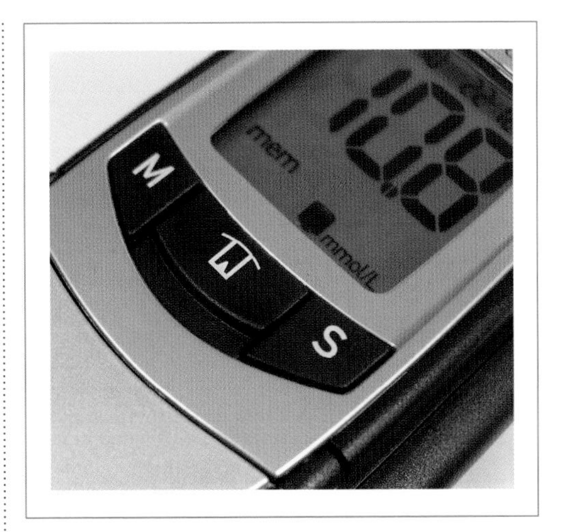

Cómo se detectan los cuerpos cetónicos

Los **cuerpos cetónicos** pueden medirse en forma sencilla en **orina** con **tiras reactivas**. El médico indicará al paciente la frecuencia con la que debe realizar este control. Para utilizar las tiras se toma una **muestra de orina limpia** y se debe colocar la tira dentro de la muestra. Luego se espera una cantidad de tiempo predeterminado que varía de acuerdo a la marca. La **tira cambiará de color** según la cantidad de cetonas que se presenten en la orina. Finalmente, se compara el resultado con una **escala** de colores que viene en el frasco.

El tratamiento quirúrgico

En personas con obesidad se comenzó a utilizar una **cirugía** como tratamiento para la diabetes tipo 2. Estas técnicas quirúrgicas, denominadas **cirugías bariátricas**, se practican como tratamiento de obesidad grave o mórbida y logran que el paciente ingiera menores cantidades

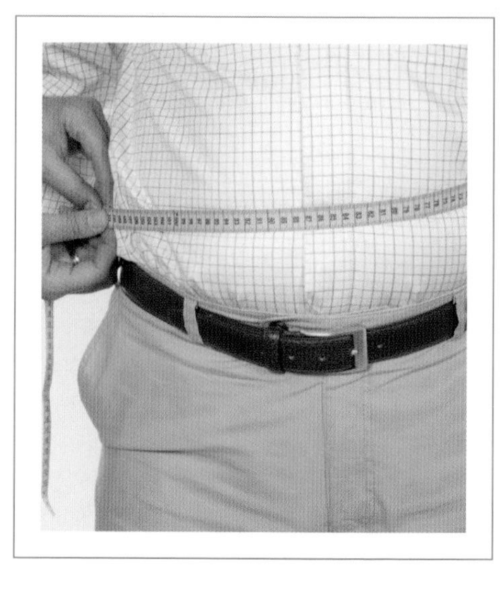

de alimento al **restringir el tamaño del estómago** y/o la **absorción de los alimentos**. La mejoría en personas con diabetes tipo 2 se produce porque el alimento en el intestino fomenta la producción de una hormona que **estimula** la **secreción** por parte del **páncreas** de la insulina, ayudando así a mejorar la glucemia.

Derribando Mitos

"Aumentar los niveles de insulina significa que la diabetes está empeorando."

No existe una dosis estándar de insulina para las personas con diabetes, así que la dosis debe ser ajustada para alcanzar mejores valores de glucosa. Por eso, es importante que las personas con diabetes se controlen diariamente los niveles en sangre.

¿Se puede prevenir?

Si bien aun no se puede prevenir la diabetes tipo 1, se ha demostrado que es posible evitar o retardar la aparición de la diabetes tipo 2, con un estilo de vida activo y una alimentación saludable.

Año tras año, se incrementan los casos de personas con diabetes en todo el mundo debido al **aumento del sedentarismo** y los **malos** hábitos de **alimentación**. Las actuales condiciones de vida hacen que niños, adolescentes y adultos sean **menos activos** y presenten mayores niveles de **sobrepeso** y **obesidad**, lo que aumenta el riesgo de desarrollar otras enfermedades.

Una prevención al alcance de todos

Es por eso que para **prevenir** la diabetes se recomienda seguir una **dieta** de alimentación **saludable**, mantener un **peso adecuado**, realizar **actividad física** y **no fumar**. Estas medidas han demostrado ser incluso más efectivas que el tratamiento farmocológico.

Comer sano

Información nutricional

Es imprescindible leer las etiquetas con información nutricional de los alimentos y elegir aquellos que contienen un valor reducido o directamente no contienen azúcar.

Los alimentos ideales

Hay que procurar ingerir alimentos que provean todos los **nutrientes** necesarios **sin exceso de calorías**. Por esto, las **frutas** y las **verduras** son los alimentos ideales, por su alto **contenido** en **vitaminas** y **minerales**. Además, al consumir frutas y verduras el cuerpo mejora el aprovechamiento de los nutrientes que contienen otros alimentos. Por ejemplo, las frutas con **vitamina C** ayudan a utilizar mejor el **hierro** de las legumbres y las verduras.

Cuidado con el azúcar

Indudablemente, **reducir** el consumo de **azúcares** es fundamental para **prevenir** la **diabetes** como también el **sobrepeso**. El azúcar no contiene vitaminas ni minerales, por eso no aporta ningún nutriente significativo, pero sí una gran cantidad de **calorías**. La forma más sencilla de disminuir el consumo de azúcares es endulzar las infusiones con **edulcorantes** y evitar consumir golosinas o productos de pastelería. Sin embargo, en ocasiones las personas evitan ingerir estos alimentos pero no están atentas a otros **productos procesados** o **bebidas** que contienen **gran cantidad de azúcar**.

FRUTAS Y VERDURAS

Comer entre tres y cinco porciones de frutas y vegetales al día y reducir la ingesta de azúcares y grasas saturadas ha demostrado ser importante para mantener un peso adecuado y por ende, disminuir el riesgo de diabetes tipo 2.

▸▸ No a las grasas sólidas

Se recomienda **disminuir** el consumo de las **grasas saturadas**. Estas son las que se encuentran sólidas a temperatura ambiente. En gran parte, estas son obtenidas de alimentos de **origen animal**, como las carnes, el pollo, la leche y sus derivados (crema, manteca). La mayoría de los vegetales no contiene este tipo de grasas. Estas grasas incrementan los niveles de **colesterol** y pueden provocar diversos trastornos en la circulación sanguínea.

▸▸ Aliados para la prevención

Existen estudios que demuestran que los alimentos que contienen **fibras**, como los **cereales integrales**, **reducen** la probabilidad de desarrollar **diabetes tipo 2**. Los cereales son las semillas de algunas plantas y se los denomina integrales cuando conservan su corteza. El trigo, la avena, la cebada, el centeno, el arroz, el maíz son algunos ejemplos de estos cereales que son ricos en **minerales**, **vitaminas** y **fibras**.

Grasas y sobrepeso

Cuando las grasas saturadas se consumen en exceso favorecen el aumento de peso.

¿TENGO SOBREPESO?

*Para calcular si nuestro peso es adecuado o tenemos sobrepeso u obesidad se utiliza una **fórmula matemática** que se denomina **índice de masa corporal (IMC)**.*

¿Cómo se calcula?

$$\frac{\text{Peso corporal (k)}}{\text{Estatura}^2\text{ (m)}}$$

¿Cómo se leen los resultados para los adultos?

Bajo peso = *menos de 18.5* **Peso normal** = *18.5 / 24.9*
Sobrepeso = *25 / 29.9* **Obesidad** = *30 o más*

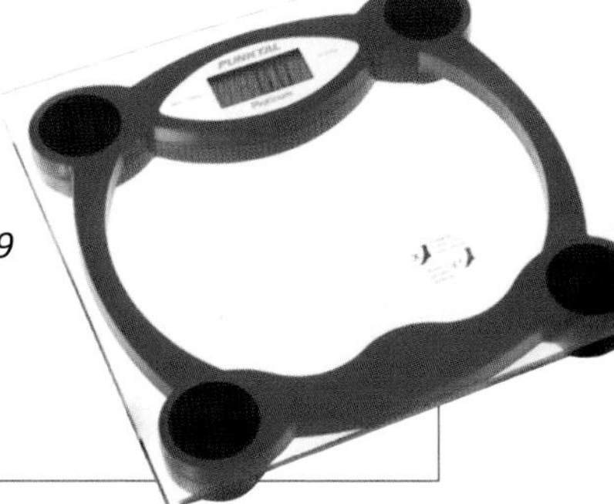

Por ejemplo: Para una mujer de 60 kg y de 1.65 m de altura, el IMC es de 22.04, es decir que su peso es normal.

Ponerse en movimiento

Sedentarismo y diabetes

Se estima que la inactividad física es la causa principal del 27 % de los casos de diabetes.

El **ejercicio físico** es una de las medidas más efectivas para mantener un peso **saludable** y, por lo tanto, para reducir el riesgo de diabetes. El ejercicio también ayuda a las células a usar la insulina de manera eficiente, lo que facilita el **control** de la **glucemia**. Realizar actividad física no significa solamente practicar un deporte. Otras opciones son: **caminar** enérgicamente, **bajar** o **subir** las **escaleras**, **bailar**, **andar en bicicleta** o realizar **tareas domésticas** (jardinería, limpieza).

Cambios saludables

La **actividad física** produce en pocos segundos una gran cantidad de **cambios corporales** como el **aumento** de **temperatura**, **secreciones** de diferentes **hormonas** y **neurotransmisores**. A largo plazo se generan cambios en la **estructura muscular**, en la circulación, las células y el **metabolismo** que mejoran la salud.

Actividad física en niños y adolescentes

La actividad física no solo ayuda a la **salud del cuerpo** sino que también es clave para la **socialización**. Entre los **5** y los **17 años de edad** se recomienda realizar: juegos, deportes, desplazamientos, tareas, actividades recreativas, educación física o ejercicios programados, en el contexto de la familia, la comunidad y en el ámbito escolar.

Las principales recomendaciones son:

- Acumular un **mínimo de 60 minutos** diarios de actividad física.
- Realizar, en su mayor parte, **ejercicios de resistencia** para mejorar la fuerza muscular en los grandes grupos de músculos del tronco y las extremidades.
- Incorporar **actividades vigorosas** que conlleven **esfuerzo óseo**, para fomentar la salud de los huesos.

▸▸ Por dónde empezar

En el caso de los **niños y jóvenes inactivos**, se recomienda aumentar progresivamente la actividad hasta alcanzar los niveles propuestos. Sería apropiado **comenzar con sesiones breves de actividad**, para ir aumentando su duración, frecuencia e intensidad. Si los niños no están haciendo ninguna actividad física, empezar a realizar esta práctica en niveles inferiores a los recomendados les aportará más beneficios que mantenerse inactivos.

CON MEDIA HORA ALCANZA

Diferentes estudios han mostrado que tan solo 30 minutos de ejercicio moderado todos los días es suficiente para promover una buena salud y reducir las probabilidades de desarrollar diabetes tipo 2.

¿Qué más se puede hacer?

▶▶ Adiós al cigarrillo

Una de las medidas clave para prevenir la diabetes es **dejar de fumar**. El **consumo** de **tabaco** predispone a la aparición de **intolerancia** a la **glucosa** en **fumadores** y **fumadores pasivos**. Por eso, además, es importante mantener los **ambientes** del hogar, el trabajo, escuelas o universidades **libres de humo de tabaco**.

▶▶ Efecto tóxico

Está demostrado que los componentes presentes en el **humo del cigarrillo** generan un efecto **tóxico** en el **páncreas**, órgano donde se produce la insulina. En ex fumadores el riesgo disminuye con el tiempo pero es siempre mayor que en personas que nunca han fumado.

Una gran decisión

Dejar de fumar es lo mejor que puede hacer una persona por su salud.

El tabaquismo acelera la aparición de complicaciones crónicas asociadas con la diabetes, sobre todo las relacionadas con la circulación sanguínea. Además, interfiere con la acción de la insulina.

▶▶ Tabaquismo y diabetes tipo 2

Con frecuencia, los **fumadores de tabaco** presentan varios aspectos del **síndrome metabólico** (un conjunto de rasgos que incluye obesidad abdominal, hipertensión, insensibilidad a la insulina e intolerancia a la glucosa). Estos cambios metabólicos a menudo son precursores de la **diabetes tipo 2**. A su vez, el **tabaquismo** es un **factor de riesgo** de diabetes, independientemente de la obesidad o la mala alimentación. Es decir que puede causar la enfermedad sin que exista aumento de peso, del colesterol o de otros factores que se asocian con la diabetes.

▶▶ El consumo de alcohol

El **consumo excesivo** de **alcohol** puede **aumentar el riesgo** de desarrollar **diabetes**, debido a que como consecuencia de este tipo de consumo se puede llegar a producir una **inflamación crónica del páncreas**. Esto podría conducir a una **lesión permanente** y a un **deterioro** de su capacidad para **segregar insulina**. Por otra parte, el alcohol tiene un **aporte calórico significativo** que puede favorecer la aparición de sobrepeso, con sus consecuencias sobre el **metabolismo** de los **hidratos de carbono**.

COLESTEROL E HIPERTENSIÓN

Otros de los factores que aumentan las probabilidades de padecer la enfermedad están asociados con elevados niveles de colesterol y con la hipertensión arterial. Es por eso que se recomienda realizar estudios médicos anualmente para que el profesional de la salud realice los controles necesarios.

Epidemia del futuro

Por su desarrollo, la diabetes será una de las epidemias del futuro. Se calcula que en el año 2025, más del 75% de los diabéticos vivirán en países en desarrollo y la mayor parte de ellos tendrá entre 45 y 64 años.

La diabetes en números

Según datos de la Federación Internacional de Diabetes, en América Central y del Sur:

- 25.1 millones de personas tienen diabetes (8.7 % de la población adulta).
- 15.1 millones de personas tienen alteración de la tolerancia a la glucosa (5.25 de la población adulta).
- 12.3% del total de fallecimientos han sido de origen diabético.

14 de Noviembre: Día Mundial de la Diabetes

Este día fue instituido por iniciativa de la Federación Internacional de la Diabetes y la Organización Mundial de la Salud para conmemorar el aniversario del nacimiento de Frederick Banting, quien, junto con Charles Best, tuvo un papel determinante en el descubrimiento de la insulina en 1922.

Derribando Mitos

"Si los padres de un niño son diabéticos, él también lo será."

Si bien existe una predisposición genética para padecer diabetes tipo 1, no siempre los hijos de personas diabéticas tendrán la enfermedad. En el caso de la diabetes tipo 2, es importante tener un estilo de vida saludable para retardar o evitar la aparición de la enfermedad.

Diabetes y emergencias

Un nivel bajo de azúcar en la sangre (hipoglucemia) o un nivel alto (hiperglucemia) pueden generar situaciones de emergencia. Es importante estar preparados para actuar a tiempo ante estas complicaciones.

Aprender a **reconocer** y a **manejar** las variaciones en los niveles de **glucosa** en la sangre ayuda a **prevenir emergencias**. Generalmente, la mayoría de estas complicaciones puede resolverse en el hogar, siguiendo algunas **instrucciones simples**.
Para evitar estas **descompensaciones** lo más importante es seguir las **indicaciones** del médico.

Reconocer los síntomas

El **autocontrol** de **azúcar** en la sangre posibilita determinar si los niveles se encuentran dentro de los límites ideales. Asimismo, **conocer** y saber **percibir los síntomas** de alarma es imprescindible para realizar las correcciones a tiempo o solicitar ayuda de algún familiar o amigo.

Hipoglucemia

Algo frecuente

Todas las personas que padecen diabetes sufren hipoglucemia en algún momento.

La **hipoglucemia** es un **descenso brusco** en la cantidad de **azúcar** en la **sangre** (glucemia) por **debajo** de los **70 mg/dL**. Los principales **síntomas** son: sudor frío, temblor, palpitaciones, mareo, falta de coordinación y visión borrosa. En la **hipoglucemia "sin aviso"** el diabético no percibe las alarmas por la baja del azúcar. Esto lo coloca en riesgo de accidente.

Síntomas de hipoglucemia

A veces, ante una **hipoglucemia grave** las personas pueden sentirse **lentas**, **confundidas, nerviosas** o presentar un **comportamiento agresivo**. De a poco se va perdiendo lucidez, por eso estos síntomas pueden confundirse con **embriaguez**. Si la hipoglucemia grave se produce durante la **noche**, la persona manifestará **pesadillas**, **sudoración**, **despertar angustiante** y **taquicardia**. En estos casos se pueden producir **convulsiones** o **inmovilidad** (**coma**).

CLASIFICACIÓN DE LA HIPOGLUCEMIA SEGÚN LOS SÍNTOMAS

Hipoglucemias leves y moderadas

Son aquellas que el **diabético puede solucionar por sí mismo** y sin ayuda de terceros.

Inicialmente puede notarse por:
- Sudores fríos.
- Temblores.
- Nerviosismo.
- Hambre.
- Debilidad.
- Palpitaciones.
- Hormigueos.

Causas y consecuencias de la hipoglucemia

Las principales **causas** de hipoglucemia son las siguientes:

- Disminución o retraso en la ingesta de alimentos.
- Omisión de algún suplemento.
- Aumento de la actividad física.
- Errores en las dosis de pastillas o insulina.
- Mala técnica en la inyección de insulina.
- Abuso de alcohol.
- Interacciones con otros medicamentos.
- Embarazo o lactancia.
- Enfermedades que disminuyen las necesidades de insulina: insuficiencia renal, hepática, déficit hormonales.

HIPOGLUCEMIA GRAVE

Si la bajante de glucosa es muy pronunciada se produce una hipoglucemia grave, que requiere de la asistencia de otra persona. Esta tendría que administrar alguna medicina o alimento para que el paciente diabético se recupere.

Las principales **consecuencias** de la hipoglucemia son:

- Temor en las personas con diabetes y en sus familiares.
- Lesiones: caídas, fracturas óseas, accidentes de tránsito.
- Trastornos cognitivos.
- Empeoramiento de problemas en la retina (retinopatía avanzada no tratada).
- Daño cardiovascular: arritmias, daño endotelial.
- Muerte.

Hipoglucemia grave

Es aquella en la que el **diabético necesita la ayuda de otras personas** (familiares, compañeros de trabajo, profesionales de salud, etc.) para recuperarse.

Pueden aparecer los siguientes síntomas:

- Dolores de cabeza.
- Alteración del habla (hablar lentamente, hablar con hipo, hablar con dificultad).
- Alteración del comportamiento (agresividad).
- Alteraciones de la visión (visión turbia, doble).
- Convulsiones.
- Pérdida de conciencia (coma).

¿CÓMO PROCEDER EN CASO DE HIPOGLUCEMIA?

1 *El primer paso es realizar una medición con el glucómetro para asegurarse que los niveles de azúcar en sangre se encuentran por debajo de los normales.*

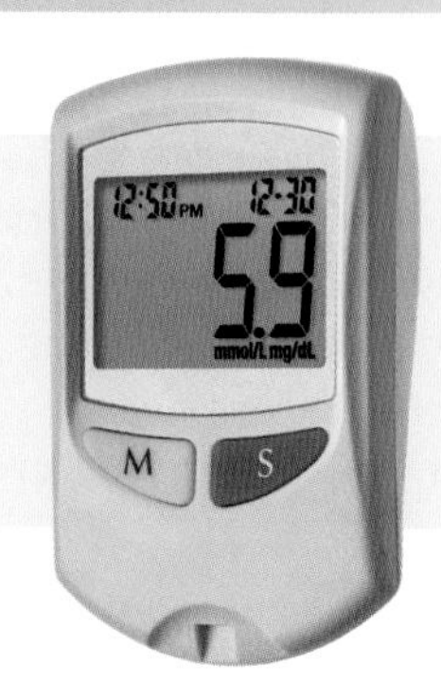

2 *En caso de hipoglucemia leve se debe administrar 15 g de glucosa. Si no hay pastillas a mano se pueden reemplazar por sus equivalentes:*
un vaso de agua con 15 g de azúcar;
un vaso de jugo de naranja o de otra fruta; un vaso de bebida de cola.

Importante

Ante una situación de hipoglucemia se deben evitar las bebidas calientes, dado que su absorción es más lenta.

3 *Esperar 15 minutos y volver a verificar el nivel de azúcar en sangre. Si continúa por debajo del nivel deseado se debe repetir la administración de glucosa.*

4 *Una vez que la persona se recuperó, debe comer o ingerir alguna colación y continuar con su esquema habitual de administración de insulina.*

5

En el caso de una hipoglucemia grave, no se debe tratar por vía oral. Tampoco la persona debe recibir ningún alimento por boca. Los familiares o amigos pueden utilizar una sustancia que se denomina Glucagón que hace que el azúcar en sangre suba rápidamente. Se aplica mediante una inyección subcutánea o intramuscular. Luego de que la persona se haya recuperado debe concurrir lo antes posible al médico.

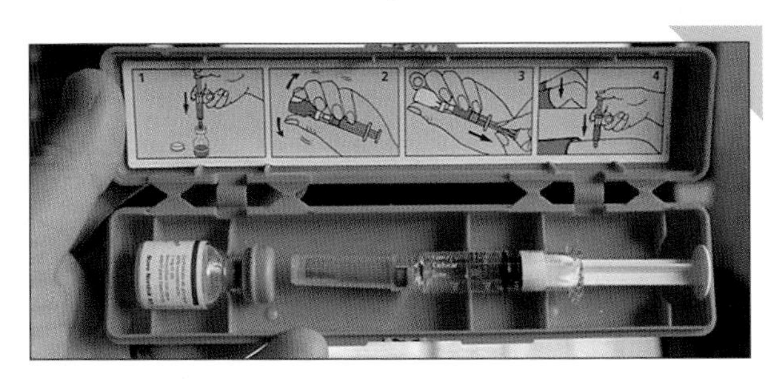

Es importante consultar al médico para evaluar las causas de la hipoglucemia y, si es necesario, corregir los niveles de insulina para así prevenir nuevos episodios.

¿Cómo prevenir la hipoglucemia?

- Comer después de administrar la dosis de insulina o de tomar las pastillas.
- No omitir ninguna ingesta de alimento ni suplemento (en especial antes de acostarse).
- Seguir los horarios indicados y no dejar de comer nunca la cantidad de harinas (papa o patata, pasta, guisantes, legumbres, arroz o pan), fruta y leche recomendadas en el plan de alimentación.
- Tomar un suplemento extra en caso de ejercicio intenso, por ejemplo, añadir una porción de fruta o 2-3 rebanadas de pan tostado.
- Aprender a realizar autocontroles de glucemia.
- Enseñar el tratamiento a familiares y personas cercanas.

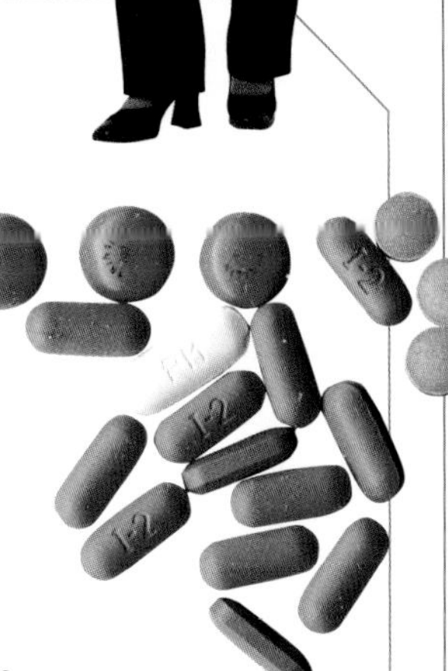

Hiperglucemia

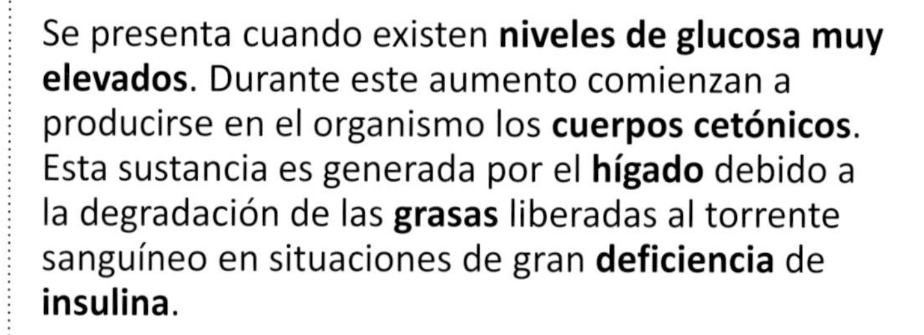

Se presenta cuando existen **niveles de glucosa muy elevados**. Durante este aumento comienzan a producirse en el organismo los **cuerpos cetónicos**. Esta sustancia es generada por el **hígado** debido a la degradación de las **grasas** liberadas al torrente sanguíneo en situaciones de gran **deficiencia** de **insulina**.

Complicaciones

La hiperglucemia es una de las principales causas de muchas de las complicaciones que sufren las personas con diabetes.

▸▸ Cómo reconocer la hiperglucemia

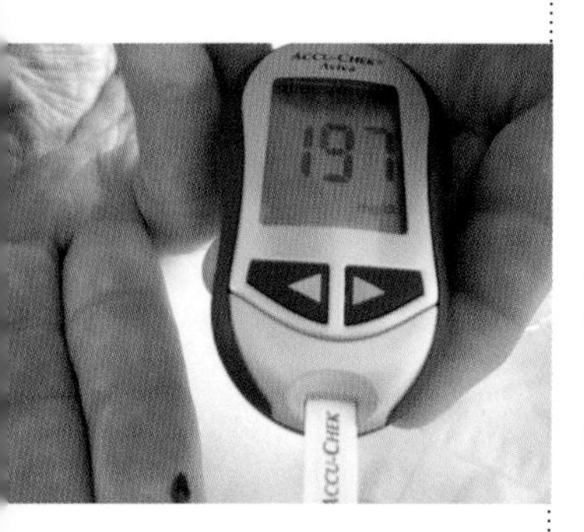

En la **primera fase** de la hiperglucemia pueden aparecer los **síntomas** clásicos del **aumento** de la **glucosa** en sangre: **polidipsia** (aumento de la sensación de sed), **poliuria** (aumento de la cantidad de orina), **polifagia** (aumento del apetito) y **pérdida de peso**, a pesar del aumento de apetito. También pueden presentarse: **infecciones de repetición**, **mala cicatrización** de heridas, **prurito** (picor), **neuropatía** o **enfermedad coronaria** sobre todo si aparecen en pacientes menores de 45 años.

Causas de la hiperglucemia

Las principales causas de hiperglucemia pueden ser las siguientes:

- Falta de inyección de insulina o antidiabéticos orales.
- Aumento de la ingesta de carbohidratos en la dieta.
- No realizar el ejercicio físico suficiente.
- Existencia de una enfermedad o situación que aumente las necesidades de insulina, por ejemplo: infecciones, traumatismos, intervenciones quirúrgicas, embarazo.

¿Qué pasa cuando no se trata?

Si una hiperglucemia no se trata adecuadamente puede evolucionar hacia una condición que se llama **cetoacidosis diabética**. Se presenta un aumento de glucosa en sangre **mayor de 300 mg/dL**. Esta complicación se manifiesta en pacientes con **diabetes tipo 1** y **diabetes tipo 2** en **tratamiento** con **insulina**. Las causas más frecuentes son las **infecciones** y el **abandono** del **tratamiento** con insulina.

Síntomas de la cetoacidosis diabética

La sintomatología clásica de la cetoacidosis diabética comienza con un cuadro de **vómitos**, **aumento** de la producción de **orina**, aumento de la **sensación de sed**, aumento de la **frecuencia respiratoria**, **aliento cetónico** (aliento a manzanas), **alteraciones** en la **conciencia** y **dolor** en la zona **abdominal**.

La cetoacidosis diabética es una forma de comienzo muy frecuente de la diabetes tipo 1.

HOSPITALIZACIÓN

Cuando se presenta esta complicación es necesario el ingreso hospitalario para instaurar el tratamiento adecuado que consistirá en reposición de líquidos, administración de insulina para disminuir los niveles de glucosa en sangre y para eliminar los cuerpos cetónicos en orina, así como atender las causas que han precipitado el cuadro, por ejemplo una infección.

Otras complicaciones

La hiperglucemia no tratada también puede generar un **coma hiperosmolar**. Este síndrome clínico aparece en **pacientes diabéticos tipo 2** en tratamiento con **antidiabéticos orales**. Se caracteriza por una cifra de glucosa en sangre por encima de **600 mg/dl**, y **ausencia** de **cuerpos cetónicos** en sangre. Se acompaña de manifestaciones como **disminución** del nivel de **conciencia**, que puede ir desde la **somnolencia** hasta el **coma profundo**; **deshidratación**, **pérdida** de **apetito**, **náuseas**, **vómitos** y **convulsiones**.

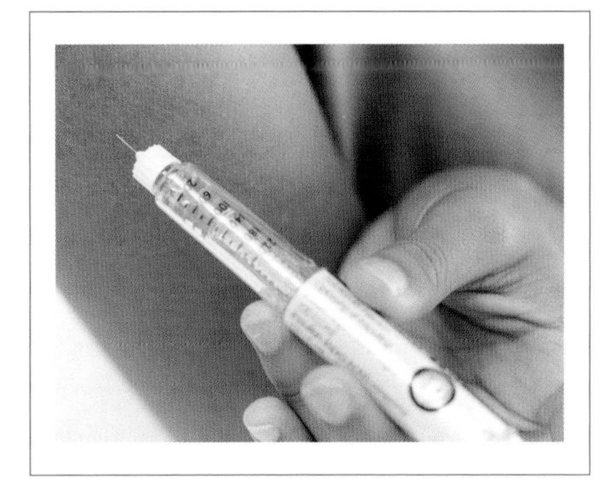

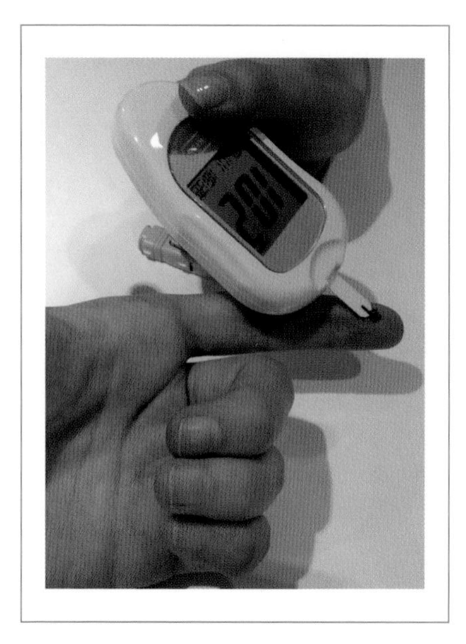

CASOS DE URGENCIA

Frente a estos casos de hiperglucemia la persona debe ser llevada a un centro de atención en forma urgente donde recibirá el tratamiento adecuado. Este consiste en la reposición de líquidos para corregir la deshidratación y la administración de insulina para restablecer los niveles de glucosa en sangre a valores normales.

¿Cuándo acudir al médico?

Además de las citas habituales, el diabético debe concurrir a **urgencias** o a una **guardia hospitalaria** si presenta alguna de las siguientes situaciones:

- Nivel de glucosa menor de 40 mg/dL (aunque no tenga síntomas).
- Niveles persistentes por debajo de 70 mg/dL.
- Nivel de glucosa superior a 200 mg/dL por más de una semana.
- Dos lecturas seguidas mayores de 300 mg/dL.
- Molestias asociadas con los cambios en los niveles de glucosa.

Derribando Mitos

"Los diabéticos nunca pueden comer golosinas ni chocolates."

Se puede mientras se guarde un cierto equilibrio, es decir, cada tanto, en pequeñas cantidades, está permitido consumir alguno de los alimentos no recomendados. Sin embargo, hay que tener en cuenta que la ingesta reiterada de estos productos puede ocasionar graves alteraciones en los niveles de glucosa en sangre, acumulando el riesgo de complicaciones.

Vivir bien con diabetes

Para llevar una buena calidad de vida, la persona con diabetes debe realizar una serie de rutinas y controles cotidianos en su contexto familiar, en el trabajo y también durante los viajes.

La diabetes no presenta signos visibles, pero que no se vea no quiere decir que no exista. Por esto, hay que realizar un **control adecuado** para evitar o retrasar la aparición de complicaciones. Con el control y el **tratamiento** indicado, se puede disfrutar de una **vida saludable**. Para esto, es necesario, además, cambiar hábitos nocivos que perjudican la salud.

▸▸ Las complicaciones más frecuentes

Algunas de las **complicaciones** que se pueden presentar en el curso de la diabetes aparecen en los **pies**, **la vista**, **la boca** y los **riñones**. Es por eso que, además de mantener regulado el nivel de glucosa en sangre, hay que tomar otras medidas preventivas.

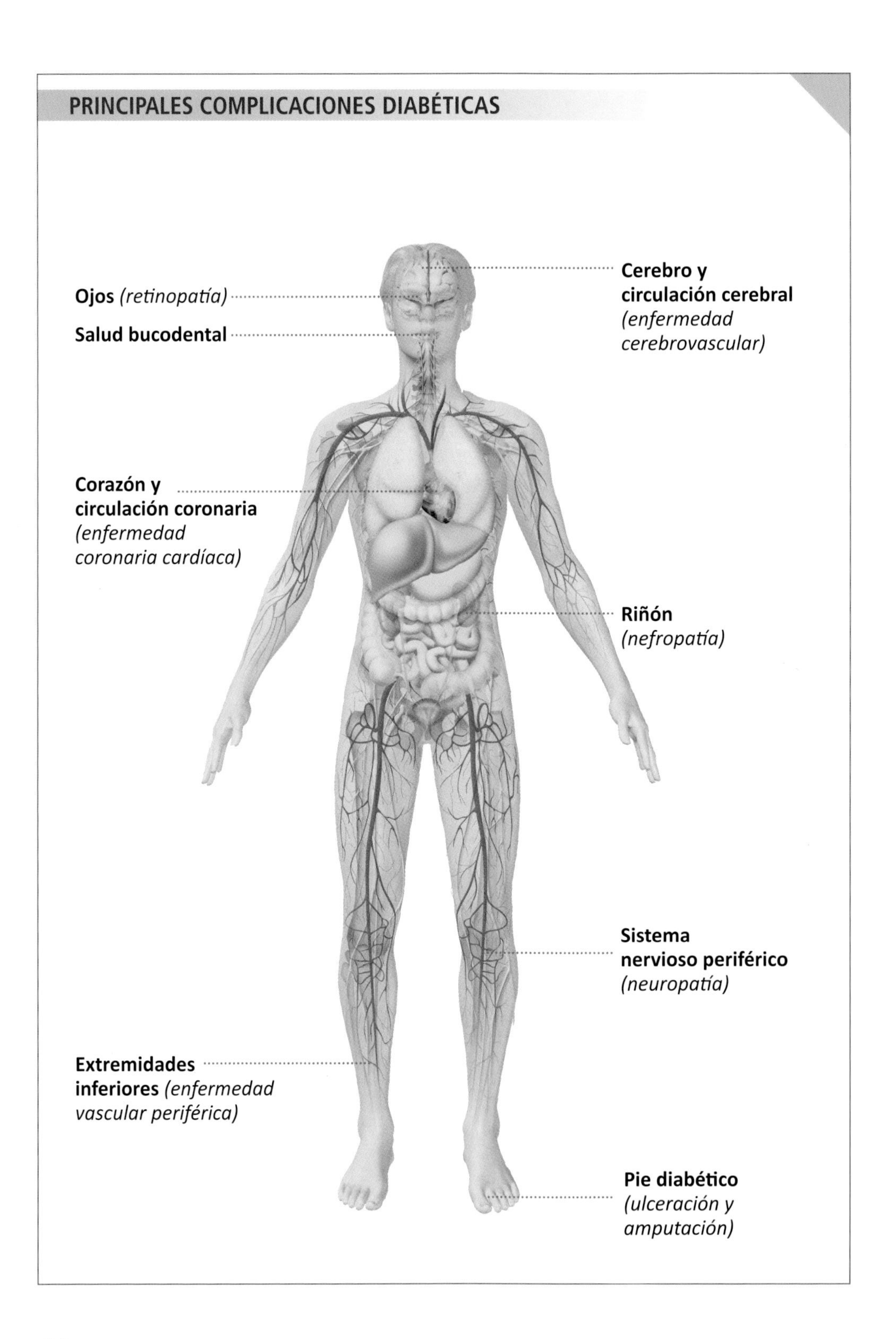

PRINCIPALES COMPLICACIONES DIABÉTICAS
Ojos (retinopatía)
Salud bucodental
Cerebro y circulación cerebral (enfermedad cerebrovascular)
Corazón y circulación coronaria (enfermedad coronaria cardíaca)
Riñón (nefropatía)
Sistema nervioso periférico (neuropatía)
Extremidades inferiores (enfermedad vascular periférica)
Pie diabético (ulceración y amputación)

El pie diabético

¿Qué es el pie diabético?

Es una **complicación** de la diabetes relacionada con **alteraciones neurológicas** o de los **vasos de las extremidades inferiores**. La **diabetes** produce un **daño** progresivo en los **nervios**, que son los que transmiten los diversos estímulos y controlan la actividad muscular. Al estar afectados, la persona **pierde sensibilidad** al **dolor** y la **temperatura** y sus **músculos** se van **atrofiando**. Esto favorece la aparición de **lastimaduras**, **ulceraciones** e **infecciones** en los pies, que pueden ser muy graves.

¿Se puede evitar?

La **mala circulación** a causa de problemas en los vasos sanguíneos de las piernas, sumada a la pérdida de sensibilidad, puede producir **llagas** en los pies que, si se infectan y no reciben tratamiento, podrían llevar a una grave complicación, como la **amputación**. Sin embargo, esto no ocurre de un día para el otro y para evitarlo es importante mantener un **buen control de la glucosa**, **revisar los pies** en la consulta de forma periódica, realizar el **autocuidado** recomendado y consultar inmediatamente frente a cualquier tipo de lesión.

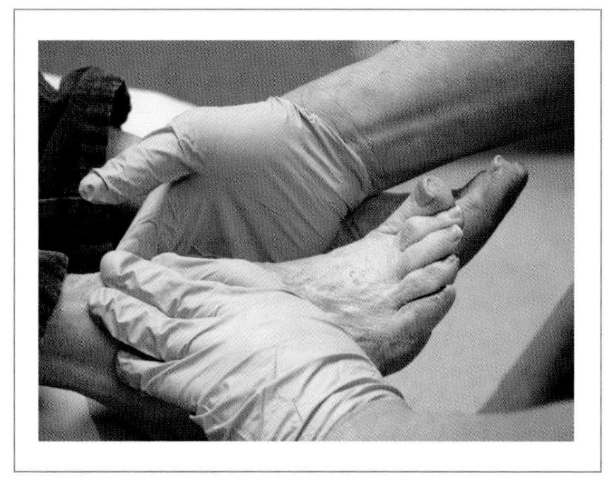

El autocuidado de los pies es muy importante para toda persona con diabetes.

A no confundirse

No es lo mismo el "pie diabético" que el pie de una persona diabética, ya que no todas los pacientes que tienen esta enfermedad desarrollan esta complicación. Su aparición depende, en gran medida, del control de la glucemia, los factores de riesgo ambientales y la evolución de la diabetes.

Claves para el cuidado de los pies

Es importante tomar como parte de la rutina diaria la **búsqueda de llagas**, **manchas rojas** o **hinchazón** en los pies. Si existe dificultad para agacharse, es de suma utilidad un **espejo** para verse los pies o pedir ayuda a un familiar o amigo. Algunos cuidados básicos son:

Lavado diario con agua tibia (no muy caliente). Hay que tener en cuenta realizar un correcto **secado de los pies**, sin olvidar la piel entre los dedos. Y para mantener la piel seca también se puede utilizar **talco** o almidón de maíz. Puede usarse una **crema humectante**, pero teniendo cuidado de **no colocarla entre los dedos**, ya que puede generar una infección.

Evitar almohadillas térmicas o **bolsas de agua caliente** durante el invierno para disminuir el riesgo de sufrir quemaduras. Si el diabético presenta los pies fríos durante la noche, es preferible la utilización de medias térmicas o de lana.

Cortar las uñas semanalmente después del baño en forma recta, sin cortar los bordes. Luego **limar** las asperezas para que no dañen los dedos cercanos.

Para **callos**, **verrugas** y otros problemas de los pies es preferible consultar a un **especialista** en **podología** y así evitar daños mayores.

Consultar siempre con el médico

En la consulta médica, que debe ser por lo menos una vez por año, la persona diabética debe recordar hacer revisarse los pies. El médico examinará el color y temperatura de la piel, así como también si el paciente presenta llagas, úlceras o heridas y, además, determinará si existe daño en los nervios.

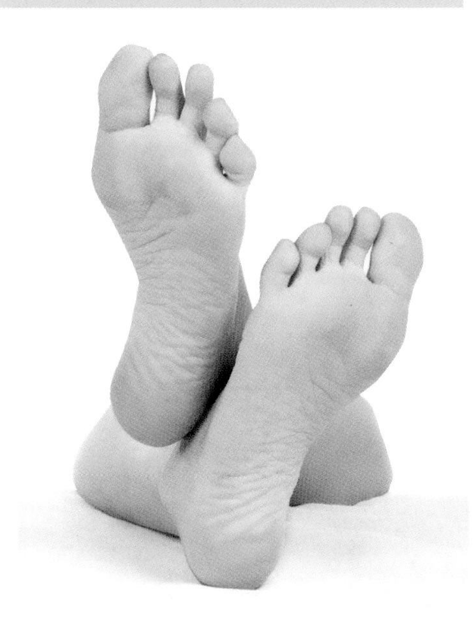

La revisación cotidiana de los pies es la principal medida de prevención.

El control de la vista

Causas de los problemas oculares

Las personas con diabetes tiene mayores probabilidades de sufrir **complicaciones de la vista** o de padecer **ceguera**. Sin embargo, la mayoría de los pacientes diabéticos solo padece **problemas oculares menores**. Son varios los **factores** que influyen en la posible manifestación de trastornos en la vista: el control del nivel de **azúcar** en la sangre, los niveles altos de **presión arterial** y el **tiempo** que lleva la persona con **diabetes**.

¿Qué produce la diabetes en la vista?

Algunas de las complicaciones diabéticas más frecuentes son:
Glaucoma: aparece cuando aumenta la **presión ocular**, lo que comprime los vasos sanguíneos que llevan la sangre a la retina y el nervio óptico. Produce **pérdida gradual** de la **visión**.
Cataratas: las probabilidades aumentan cuando la persona es joven y la diabetes tiene una evolución rápida.

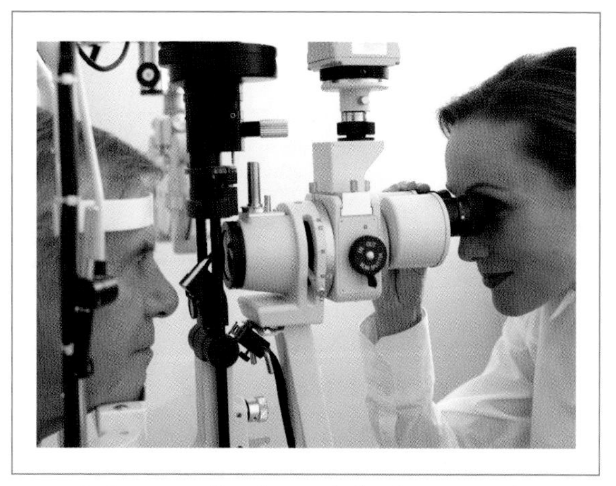

Las complicaciones de la vista causadas por la diabetes se pueden prevenir con controles periódicos.

Retinopatía: es la afección de la retina provocada por la diabetes. Puede ser leve o grave, en este último caso puede producir desprendimiento de retina

Tratamiento

Toda persona diabética tiene que consultar una vez al año al oftalmólogo. El tratamiento precoz de los problemas de la vista reduce la posibilidad de ceguera. En casos de enfermedades avanzadas de la vista, la cirugía con rayos láser da buenos resultados.

Cuidado bucal

Prevención de infecciones

El control de los **dientes** y **encías** debe realizarse periódicamente para detectar posibles **infecciones** que eleven los **niveles de glucosa en sangre**. La visita cada seis meses al odontólogo es recomendada para todas las personas, sean o no diabéticos. En los pacientes diabéticos, el médico deberá observar específicamente si existen **infecciones en las encías** y en los **huesos** que sostienen los **dientes**. Estas complicaciones sin tratamiento pueden hacer que las **piezas dentales se aflojen** y **luego se caigan**.

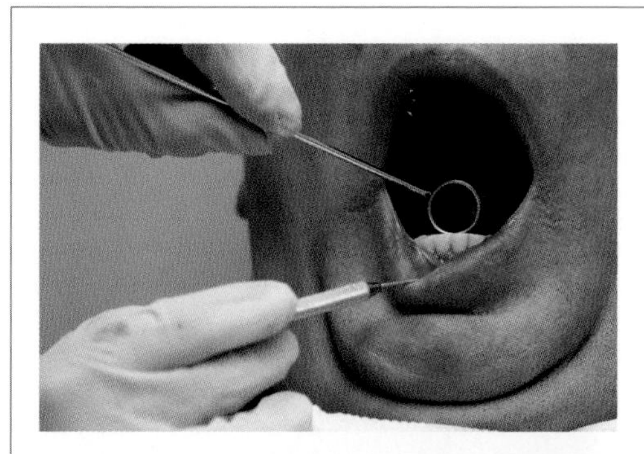

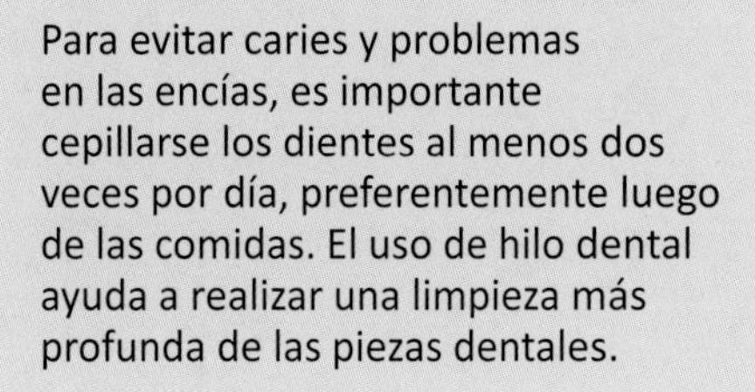

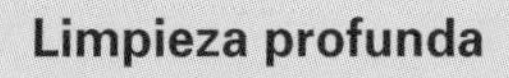

Limpieza profunda

Para evitar caries y problemas en las encías, es importante cepillarse los dientes al menos dos veces por día, preferentemente luego de las comidas. El uso de hilo dental ayuda a realizar una limpieza más profunda de las piezas dentales.

Síntomas de problemas dentales

Uno de los problemas bucales más comunes es la **gingivitis**, que se distingue por la **irritación**, **inflamación** y **enrojecimiento** de las **encías**. Estos trastornos hacen que **sangren** al cepillarse los dientes. Otro probema es la llamada **periodontitis** que ocurre cuando las encías se retraen y quedan expuestas las **raíces** de las piezas dentales. También se pueden presentar aftas, caries, úlceras e infección causada por hongos.

Problemas renales

Por qué la diabetes afecta los riñones

Los riñones ayudan al cuerpo a mantener un nivel adecuado de **líquidos** y a filtrar los **desechos** de la **sangre** que se eliminan por la orina, debido a que, en su interior, se encuentran **millones** de **vasos sanguíneos** que actúan como **filtros**. Los **niveles elevados de glucosa** producto de la diabetes causan daño en estos vasos sanguíneos (**nefropatía**). Después de algunos años, un nivel alto de glucosa en la sangre puede hacer que los riñones comiencen a funcionar mal, lo que se conoce como **insuficiencia renal**.

Control de la función renal

Los **controles de rutina** para detectar posibles problemas en el riñón son muy sencillos: **pruebas de orina** y de **sangre**. Estos deben realizarse una vez por año. Sin embargo, ante la detección de orina turbia o con sangre, **dolor** o **sensación de ardor al orinar** o necesidad de orinar con frecuencia, la consulta al médico debe realizarse de forma inmediata.

Qué se hace cuando dejan de funcionar

Cuando los riñones empiezan a fallar y no se realizan los controles adecuados, puede ser necesaria la realización de diálisis (procedimiento que utiliza una máquina que imita la función del riñón) o, en casos extremos, el transplante de riñón

Cuidar la presión sanguínea

Es importante mantener la **presión de la sangre** dentro de los **niveles normales**. La presión alta o **hipertensión**, contribuye a las complicaciones de los riñones debido a que estos órganos participan en los mecanismos reguladores de la presión arterial y en el mantenimiento del volumen sanguíneo.

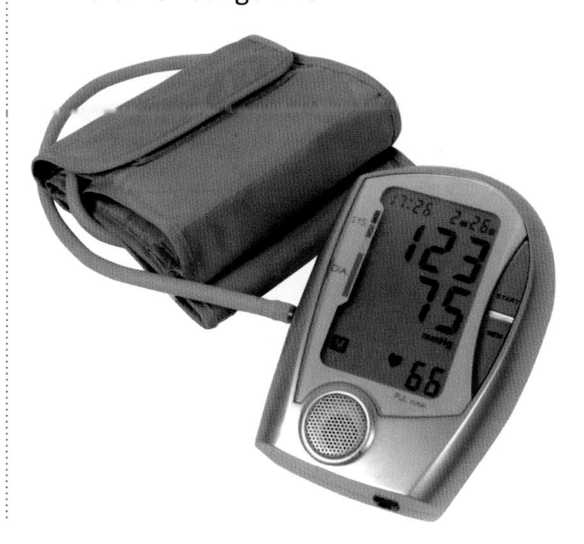

El cigarrillo y los problemas cardiovasculares

Un mal hábito

El **consumo de tabaco** es **perjudicial** para la salud de cualquier persona. En el caso de los **diabéticos aumenta** considerablemente la **posibilidad de complicaciones cardiovasculares**. Por eso es de suma importancia que abandonen el consumo y además mantengan los **ambientes** de su hogar y trabajo **libres de humo**.

Efectos nocivos

El **tabaco** produce un **efecto negativo** en el **metabolismo de la glucosa**, lo que dificulta el control de la diabetes.

Mayor sensibilidad

Las personas con diabetes son especialmente susceptibles a los efectos adversos del consumo de tabaco, sobre todo a la nicotina.

Los efectos sobre los **vasos sanguíneos** del organismo, la inflamación y otros posibles factores también podrían contribuir a desarrollar las consecuencias graves y negativas de fumar tabaco en personas con diabetes. El consumo de tabaco también empeora la salud bucal, mancha los **dientes** y **puede aumentar la irritación de las encías**. El **calor** y los **tóxicos** del tabaco debilitan el esmalte, lo que puede producir fracturas en las piezas dentales.

Tabaco + Diabetes

El hábito de fumar es muy perjudicial para las personas diabéticas porque:

- Eleva los niveles de azúcar en la sangre.
- Interfiere con la función y el tiempo de acción de la insulina.
- Aumenta el riesgo de ataque cardiaco.
- Incrementa la posibilidad de derrame cerebral.
- Daña los vasos sanguíneos y, de esa manera, afecta la circulación y aumenta el riesgo y la gravedad de las úlceras en los pies.
- Aumenta el riesgo de neuropatía (inflamación de los nervios) y de nefropatía (daño en el riñón).

Cómo mejora la persona diabética cuando deja de fumar

Además de los **beneficios** a **corto** y **mediano plazo** que experimentan todos los fumadores cuando dejan el hábito, para las **personas diabéticas** hay otras **ventajas adicionales**, entre ellas: **disminuye** el **riesgo** de padecer **retinopatía diabética**, y **enfermedades renales** y **cardiovasculares**. Favorece la **curación** de **heridas**. **Disminuyen** los **niveles de azúcar**, **colesterol** y **triglecéridos** en la sangre. **Mejora la circulación sanguínea** y la temperatura en manos y pies. Permite una mejor **oxigenación** del cuerpo.

Beneficios inmediatos de dejar de fumar

- **A los 20 minutos**: disminuye la presión arterial.
- **A las 12 horas:** se normaliza el monóxido de carbono en sangre.
- **Entre las 2 semanas y los 3 meses**: mejora la circulación y la función pulmonar.
- **Entre el primer** y **el noveno mes**: disminuye la tos y la falta de aire, disminuye el riesgo de infecciones.
- **Al año**: el riesgo de enfermedad coronaria disminuye a la mitad, mejora la energía.

La diabetes en el ámbito laboral

No ocultar

Es importante que las personas con diabetes informen a sus compañeros de trabajo acerca de su condición, ya que ocultarlo dificulta los controles y el tratamiento.

▸▸ Los cuidados de rutina en el trabajo

El diabético tiene que disponer del tiempo necesario para alimentarse y realizar los controles de rutina durante la jornada laboral. Es importante **no saltearse las comidas** o los **horarios de control** por más que el día de trabajo sea muy agitado. De esta manera, se evitan las complicaciones indeseadas.

▸▸ Trabajo y situaciones de emergencia

Ante una posible **baja** de **glucosa**, resulta imprescindible que los **compañeros** más cercanos conozcan cuáles son los **signos de alarma** y cómo se debe **actuar** para ayudar a superar esta **descompensación**. El diabético, también, debe asegurarse que las instalaciones tengan en un lugar accesible el **número** de la **emergencia médica**.

RECHAZAR LA DISCRIMINACIÓN

Por desconocimiento, en el ámbito laboral pueden generarse situaciones de discriminación. Para evitar que los jefes consideren al paciente diabético como un posible empleado con ausentismo frecuente, es recomendable informarles sobre esta patología. De esta manera, estarán al tanto de que, con el control adecuado, la diabetes no es una enfermedad invalidante.

¿Se puede viajar teniendo diabetes?

▸▸ Antes de viajar

Antes de iniciar un viaje, especialmente a destinos lejanos fuera del país de residencia, es imprescindible realizar un **examen médico** para asegurarse de que la **diabetes está bajo control**. De esta manera, si se detecta algún inconveniente puede ser solucionado antes de la partida.

▸▸ Dónde llevar los medicamentos

Si el viaje se realiza en avión o autobús, tener en cuenta colocar los medicamentos en el **bolso de mano** y, si se viaja acompañado, repartir estos elementos entre los otros miembros de la familia o amigos. Así se evitará la falta de medicamentos ante la pérdida de equipaje. Hay que tener en cuenta que algunas aerolíneas solicitan un **certificado médico** para poder transportar en el equipaje de mano **jeringas** o medicamentos líquidos como la insulina.

▸▸ Algunos consejos útiles

- Si se va a hacer un **viaje largo en auto**, controlarse el nivel de glucosa periódicamente. Es recomendable llevar **frutas**, **galletas**, **jugos** o **gaseosas** por si se produce una **bajante de azúcar**.
- Si se va a un país con otro **idioma**, **aprender algunas frases** como **"tengo diabetes"** o **"necesito insulina"**.
- Los destinos con **temperaturas muy elevadas** requieren cuidados especiales, por ejemplo, **controlar las comidas** ajustar las **dosis de la medicación**, y **aumentar el consumo de líquido**.

NO OLVIDARSE LO INDISPENSABLE

El paciente con diabetes no debe olvidar ninguno de los medicamentos necesarios para mantener controlados los niveles de azúcar: insulina, jeringas, medidor de glucosa, pastillas, etcétera. Se aconseja llevar una cantidad adicional ante posibles demoras o pérdidas.

Complicaciones graves

Según datos de la Organización Mundial de la Salud:

- Las enfermedades cardiovasculares son responsables del 50 % al 80 % de las muertes de personas con diabetes.
- La diabetes es una de las principales causas de ceguera, amputación y fallo renal.

Ser diabético

En nuestros días crece la tendencia a no poner el acento en la enfermedad sino en la personalidad del paciente y a tomar la diabetes crónica como una "forma de ser" que con los cuidados indicados permite desarrollar una vida plena.

Los alimentos regionales

Al visitar otras regiones o países, debe prestarse especial atención al **contenido de azúcar** e **hidratos de carbono** de los **platillos típicos**, ya que estos pueden elevar considerablemente los niveles de glucosa en sangre. Las comidas que más se deben controlar son las que tienen hidratos de carbono como las frutas, leches, las harinas, legumbres y cereales. Es por eso que resulta conveniente consultar **cómo están elaboradas las especialidades gastronómicas locales**. En cambio, se puede comer con mayor flexibilidad verduras, carnes, pescados o quesos.

Derribando Mitos

"La insulina provoca ceguera."

Las complicaciones a largo plazo, como la ceguera, son producto del descontrol en los niveles de glucosa y no de la aplicación de la insulina. Por el contrario, la aplicación de esta hormona de forma adecuada y controlada ayuda a evitar los problemas renales que produce la diabetes luego de muchos años.

La diabetes en cada edad

La diabetes es una enfermedad crónica, es decir, perdura toda la vida. Por supuesto que esto no impide seguir una vida normal, pero se deben tener ciertos cuidados y ser firme con el tratamiento.

La **diabetes** puede ser **diagnosticada** a **cualquier edad**. De esta manera, hay **niños pequeños** que la padecen y personas que recién en la **vejez** comienzan a tener síntomas.

En la niñez serán los **padres** los encargados de **supervisar** el **tratamiento**. Sin embargo, el **niño** también deberá tener un **rol activo**, ya que, en muchas circunstancias en las que se encuentre solo, tendrá que tomar **decisiones** que serán importantes para su **salud**, como por ejemplo consumir una golosina que le ofrezca un compañero de clase.

En el caso de las **mujeres** que deseen concebir un hijo, también será importante tener presente la enfermedad para evitar complicaciones durante el **embarazo** y el parto.

La diabetes en la niñez

Niños con diabetes

La diabetes es una de las enfermedades crónicas más frecuentes en la edad pediátrica.

Más que una enfermedad

La mayoría de los niños que tienen diabetes presentan el **tipo 1**, es decir que la enfermedad es **autoinmune**. Sin embargo, en los últimos tiempos, más personas jóvenes tienen diabetes tipo 2 debido al aumento de la **obesidad**.
La diabetes en los niños tiene **efectos psicológicos y sociales**, además de los físicos. Por eso es fundamental el **apoyo de la familia** y de todas las personas que forman parte del entorno del niño como **hermanos**, **amigos** y **maestros**. Todos ellos deben saber que padece diabetes para poder ayudarlo frente a una complicación.

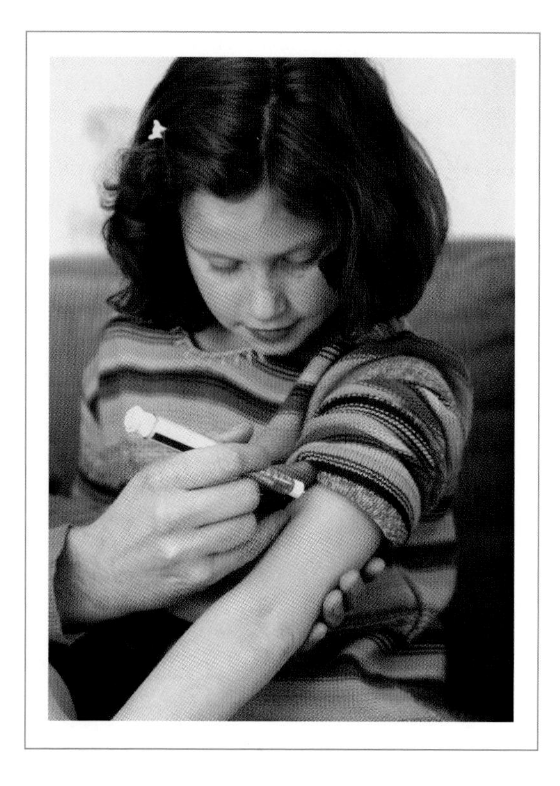

La familia y el tratamiento

El tratamiento específico depende de las características del niño y de su nivel de glucosa en la sangre. La **familia** y el **equipo de tratamiento** de diabetes deben colaborar para encontrar la mejor estrategia. En el caso de los **niños con obesidad**, se puede controlar la enfermedad inicialmente con **dieta** y **ejercicio**. Sin embargo, si el peso del niño no disminuye, se deberá prescribir medicamentos para controlar el nivel de glucosa en la sangre.

Muchos niños deben acostumbrarse al uso diario de insulina.

MOTIVACIÓN

Un tratamiento eficaz de la diabetes infantil requiere estar motivado y participar en el control de la enfermedad: seguir un régimen alimentario saludable, realizar actividad física, medir el nivel de glucosa en la sangre con regularidad y tomar los medicamentos, según las indicaciones del médico.

DOS SITUACIONES ESPECIALES

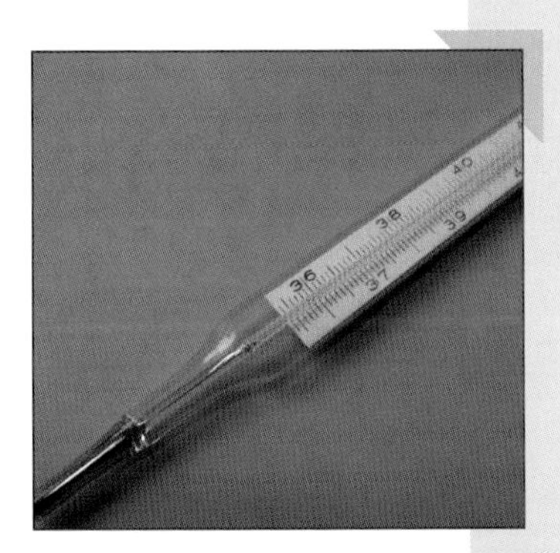

Fiebre y enfermedad

La fiebre, muy frecuente durante la infancia, incrementa la necesidad de insulina. Esto se debe a un aumento de las hormonas que tienen un efecto contrario a la insulina. Los requerimientos de insulina pueden aumentar hasta un 50%. Generalmente, esto dura solo los días de la enfermedad pero, en algunos casos, puede prolongarse hasta una semana después de la curación.

Celebraciones o cumpleaños

Los niños acuden con frecuencia a cumpleaños donde se ofrecen muchos alimentos no aconsejables para los que tienen diabetes, en especial las golosinas y los dulces. Las hiperglucemias que se producen posteriormente a su ingesta alteran el control durante varios días. Los alimentos dulces no son recomendables en forma habitual para ningún niño. Pero en particular se debe enseñar al niño diabético a elegir alimentos más sanos y también alentar a los amigos para que opten por menús más saludables.

Controles en la escuela

La ayuda de los maestros

Los niños pasan la mayor parte de su día en la escuela. Por eso es fundamental que los **maestros** y el **personal directivo** sepan si un **niño** tiene **diabetes** para poder **ayudarlo** en sus controles.
Esta asistencia puede incluir recordarle al niño que tome los **medicamentos**, que **controle los niveles de azúcar** en la sangre, que **seleccione alimentos saludables** en el comedor escolar y que esté **físicamente activo**.
El **personal de la escuela** debe poder contactarse en todo momento con los **padres** del niño y contar con el número de su **pediatra de cabecera** ante cualquier emergencia. Por eso, los padres deben entregar a la escuela un listado con estos teléfonos, así como también dar la información necesaria respecto a la enfermedad.

KIT BÁSICO PARA LA ESCUELA

Es importante que el niño cuente en la escuela con los suministros necesarios para realizar los controles rutinarios de la diabetes y, también, para poder tratar alguna emergencia relacionada con los niveles de glucosa en sangre.

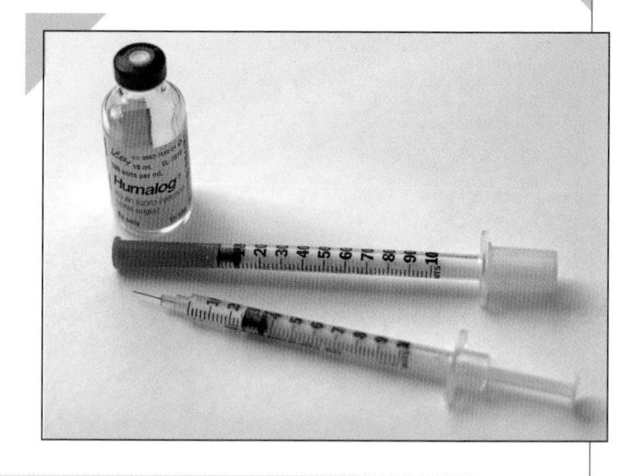

- Medidor de glucosa en sangre, tiritas de análisis, lancetas y pilas adicionales para el medidor.
- Suministros para análisis de cetonas.
- Insulina y jeringas o aplicadores.
- Toallitas húmedas antisépticas.
- Agua.
- Tabletas de glucosa o refrigerio con azúcar.

La diabetes en la adolescencia

Desarrollo físico

Con el avance de los tratamientos para la diabetes, el **desarrollo físico** de un **joven** con diabetes es igual al de sus compañeros que no la tienen. Ocasionalmente, puede ocurrir que, a consecuencia de la presencia de la enfermedad, la **pubertad se retrase** algún tiempo. Por eso, es importante el **control médico** para verificar cualquier **anomalía** o **deficiencia** e implementar medidas oportunas para solucionarla de la mejor forma posible.

Cuidar sin invadir

Los **controles médicos** pueden crear en el joven un sentimiento de **invasión** de su **intimidad**, en momentos donde no hay demasiada seguridad respecto al aspecto físico. Es así que los profesionales de la salud y los padres deben ser **respetuosos**, **comprensivos** y **explicar** en todo momento el porqué de todas esas **pruebas y exámenes físicos**.

ADOLESCENTES RESPONSABLES

En la adolescencia, serán los jóvenes quienes llevarán el control de su enfermedad. Los padres y el profesional de la salud tendrán que ayudarlos en este nuevo rol y enseñarles la importancia de continuar controlando y tratando la enfermedad, a lo largo de toda su vida.

Importante

La hipoglucemia producida por ingesta de alcohol puede aparecer hasta 24 hs después del consumo.

▸▸ Diabetes e independencia personal

Durante esta etapa el adolescente comienza a ser más **independiente**. Ahora el joven pide estar y hacer cosas sin un control directo de los padres, donde él tendrá que hacerse **responsable** y **tomar decisiones** por sí mismo. No conviene que la **diabetes** sea una razón o **excusa** para **dificultar la independencia** paulatina de los hijos. La solución a su dilema es buscar alternativas que satisfagan a ambas partes.

CÓMO CUIDARSE EN LA SALIDA CON AMIGOS

Los jóvenes con diabetes pueden salir y divertirse con sus amigos pero, para evitar descompensaciones, deben tomar algunas medidas preventivas.

Antes de salir

Medir la glucemia. Si es superior a 250 mg/dL es recomendable suspender la salida y reprogramarla.

Asegurarse de llevar la identificación como paciente diabético y los números de emergencias médicas.

Llevar siempre algún alimento rico en carbohidratos.

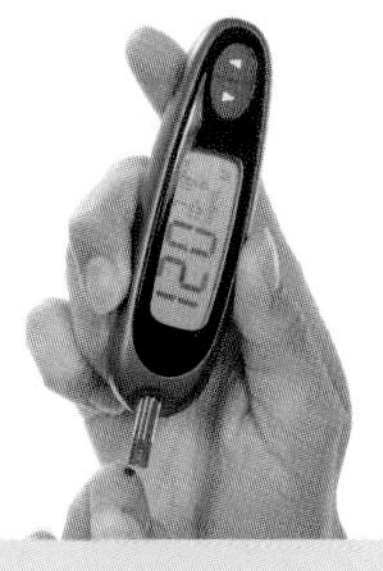

Durante la salida

Evitar la ingesta de alcohol. En caso de no poder resistir la tentación, beber poco y tomar lentamente, alternando con otras bebidas sin alcohol.

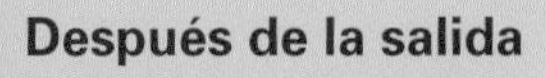

Después de la salida

Antes de ir a dormir, medirse el nivel de glucosa. Si es bajo, ingerir algún alimento para elevarlo. Al día siguiente, respetar las rutinas de comidas y medicamentos.

Diabetes en adultos mayores

Dos situaciones

Se pueden presentar dos situaciones muy diversas en los casos de diabetes en adultos mayores. Una, la de personas que llevan **varias décadas** viviendo con la enfermedad, y otra, la de quienes han sido **diagnosticadas recientemente**.
En los casos de **diabetes de larga data**, en la **vejez** se suelen presentar las **complicaciones** producto de vivir muchos años con la enfermedad. En cambio si la persona fue diagnosticada en el último tiempo debe aprender a seguir un **nuevo estilo de vida**.

SUPERAR OBSTÁCULOS

Uno de los obstáculos más importantes para el tratamiento de la diabetes en adultos mayores son las complicaciones propias de la edad, que limitan la capacidad para realizar actividad física o seguir un plan adecuado de alimentación. Sin embargo, con un enfoque terapéutico apropiado se pueden superar estos obstáculos.

La ayuda de los demás

Es importante que el **adulto mayor** tenga una **supervisión** constante, tanto del profesional médico como de algún **familiar** o **amigo**. Ellos deben asegurarse de que se cuide, reciba una **nutrición adecuada** y que siga el **tratamiento** de manera correcta.

Dificultades adicionales

En el adulto mayor la diabetes puede presentar otros problemas como: **coexistencia de enfermedades**, **limitaciones físicas** y **falla** de la **memoria**. Estas situaciones pueden **complicar el control** y **tratamiento** de la enfermedad.

Dato

Según la Federación Internacional de Diabetes, alrededor de 78.000 niños menores de 15 años desarrollan diabetes tipo 1 cada año en todo el mundo.

▶▶ Menos señales

Con la edad, algunos de los síntomas característicos de la hipo o hiperglucemina disminuyen, por ejemplo, aumenta la llamada "barrera renal", que es el nivel de glucosa necesario para que el riñón elimine a través de la orina el excedente. Este cambio puede hacer que no se detecte glucosa en la orina aunque estén altos los valores de glucemia. Otra señal que puede desaparecer es la sensación de sed, característica de la hipoglucemia, lo que aumenta el riesgo de deshidratación.

▶▶ Diabetes y embarazo

Tener diabetes no es un impedimento para tener un hijo, pero esto requiere planificación. El **embarazo** puede dar lugar a **altibajos** más frecuentes en el **nivel de azúcar** y, si no se realizan controles, puede ocasionar complicaciones en el bebé. Antes de quedar embarazada, la glucosa en la sangre tiene que estar cerca de los niveles normales. Alcanzar un correcto **control** de la **diabetes antes del inicio de la gestación**, evita la aparición de abortos y malformaciones congénitas.

Derribando Mitos

"Los niños con diabetes no crecen."

Con el tratamiento adecuado, los niños con diabetes tienen un crecimiento normal. La insulina es una hormona determinante en el crecimiento porque, además de controlar el metabolismo de los hidratos de carbono, también influye en la síntesis de las proteínas, que son "los ladrillos" del cuerpo en la etapa de crecimiento. Si un niño no cuenta con insulina suficiente entonces sí podrá tener trastornos en el desarrollo.

El apoyo familiar

El apoyo de la familia es fundamental para la persona diabética, ya que contribuye a sostener el tratamiento y a cambiar hábitos de vida.

Al ser una enfermedad crónica, la **diabetes** requiere que tanto el **paciente** como su **familia** y **amigos** colaboren con el **tratamiento**. Al momento del diagnóstico se deberán implementar **cambios en el estilo de vida**, que deben ser apoyados y adoptados por todos los **miembros de la familia** para que el control de la enfermedad resulte eficaz.

▶▶ Sentirse acompañado

El acompañamiento del entorno es la clave para poder establecer nuevos **hábitos de vida**, como llevar una dieta sana o hacer actividad física. Esto, junto con el **tratamiento farmacológico** y los controles cotidianos, ayudan a la persona con diabetes a mantenerse saludable y vital.

La contención de la familia

▸▸ Lo primero: estar informados

Comprensión

Los familiares deben ser comprensivos, principalmente en el momento del diagnóstico, y saber que habrá días buenos y días malos.

Es importante que la **familia** de una **persona diabética** obtenga **información** sobre la enfermedad. Cuanto más sepa, más podrá ayudar. Puede acompañarlo a la **consulta médica** o bien participar en **grupos para familiares de pacientes con diabetes**. La lectura de **libros** o **sitios de internet especializados** pueden ser una fuente útil de información.
Reconocer los **signos de alarma**, como un nivel alto de azúcar en la sangre (**hiperglucemia**) o un nivel bajo (**hipoglucemia**) ayuda a evitar complicaciones. En algunos de estos episodios la colaboración de un tercero será fundamental, y si este se encuentra capacitado para la asistencia, el tiempo de respuesta será más breve.

▸▸ Estrés y diabetes

El **estrés** pueden hacer que aumenten **los niveles de azúcar** en sangre. También puede alterar los hábitos alimentarios, que es uno de los pilares del tratamiento de la diabetes. Por eso, es necesario que las personas con diabetes intenten **evitar** las tensiones emocionales. La familia puede colaborar también para generar situaciones de relajación, por ejemplo planificar **días al aire libre**, **reuniones** con **amigos**, o **actividades lúdicas**, que disminuyen tensiones.

Evitar emociones negativas

Las **situaciones angustiantes** pueden hacer que aumente el **consumo** de **alcohol** o de **tabaco**, lo que es sumamente perjudicial para las personas con diabetes. Por eso el familiar o amigo que evidencia que se está dando esta situación debe colaborar para que de a poco se supere. Existen grupos **terapéuticos específicos para diabéticos** que pueden ser de utilidad para algunas personas. Para otras, pueden resultar más beneficiosas las actividades recreativas o deportivas.

Vida sana para toda la familia

Seguir las **pautas de control** de una persona diabética es beneficioso para todos. Las personas que tienen diabetes deben, en general, seguir los mismos consejos para una **alimentación saludable** que cualquier otra persona. Ingerir **alimentos** con **bajo contenido de grasa**, **colesterol**, **sal** y **azúcar** agregada y elegir una variedad de frutas frescas, verduras, granos enteros, carnes magras y pescado mejorará la **dieta de toda la familia**.

CUIDAR LAS EMOCIONES

Cuando el diabético es un niño muchas veces son los padres quienes sin darse cuenta, transmiten el estado emocional. Así, cuando un hijo enferma si los padres manifiestan sentimientos de ansiedad, depresión, miedo, desilusión o inseguridad, influirán en el niño. El resultado puede ser que este pierda la necesaria seguridad afectiva, tan importante para mantener su equilibrio emocional.

Lo que no hay que hacer

Suele ocurrir que con las mejores intenciones, una vez que se hace el diagnóstico, la familia empieza a tratar a su integrante con diabetes como una **persona enferma**. Así se le prepara un **menú especial**, o se lo reta si come algo indebido, lo que genera **angustia** y **sensación de segregación**.

Adrenalina

El estrés produce adrenalina y esta hormona provoca que el hígado libere glucosa, aumentando los niveles en la sangre.

Apoyo

La diabetes, como cualquier enfermedad, se afronta mejor con el apoyo de la familia y los amigos.

¿Qué más puede hacer la famiia?

1. **Recordar los horarios de control de la glucosa.** Por lo general, es una tarea sencilla, ya que estos controles se realizan antes o después de las comidas, es decir, en momentos en que se encuentran todos reunidos.
2. **Identificar posibles descompensaciones.** Conocer los signos de alarma más frecuentes y tener información del servicio de emergencias al que debe concurrir.
3. **Estar al tanto de la medicación** que consume la persona con diabetes y controlar la cantidad de medicamentos disponibles en la casa. Colaborar con trámites como ir a buscar recetas o autorizaciones para la obtención de estos fármacos.

La sobreprotección no ayuda

Es importante tratar al **niño con diabetes** de la misma manera como se lo trataba antes del diagnóstico y **no sobreprotegerlo**. Además, el resto de los hermanos no deben sentir que ahora ya no se les presta tanta atención. Estas situaciones pueden traer desequilibrios dentro de la familia.

SÍMBOLO DE LA DIABETES

El círculo azul es el símbolo universal de la diabetes desde el año 2006. El símbolo representa la unidad. Se eligió esta forma geométrica sencilla para que cualquiera lo pueda reproducir.

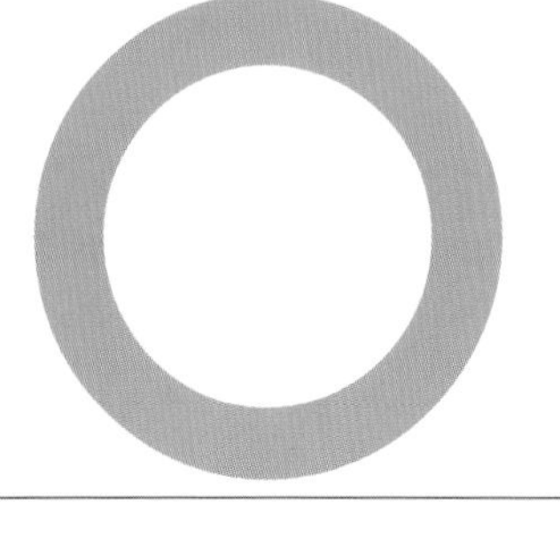

Buscar apoyo en médicos, educadores o psicólogos puede ayudar a continuar con la vida tal y como era antes del diagnóstico.

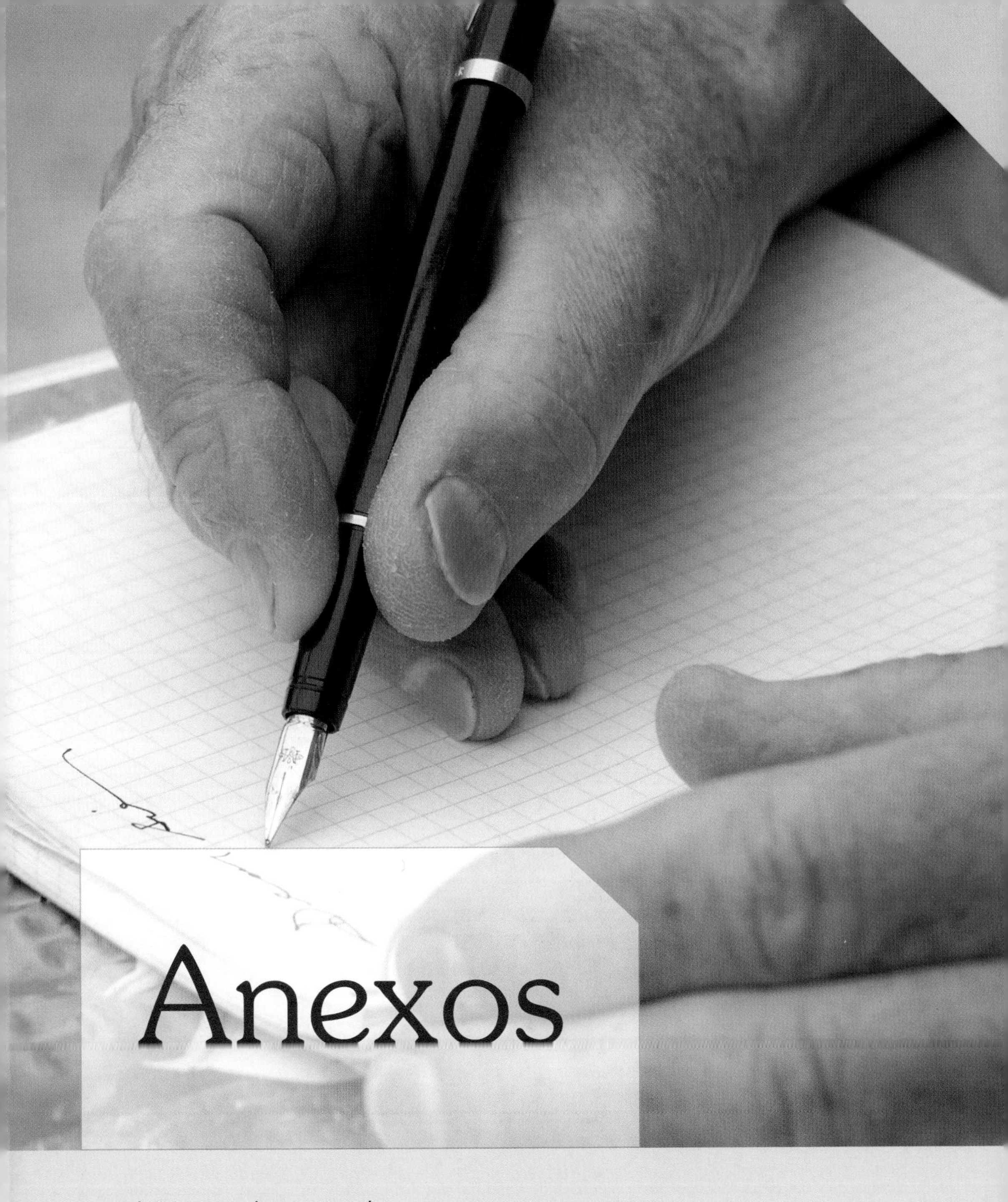

Anexos

1. Objetivos de control
2. Índice glucémico de alimentos
3. Modelo de planilla para el control diario de glucemia
4. Modelo de planilla para el control evolutivo del estado clínico

Objetivos de control

A continuación, se detallan algunos de los objetivos que se buscan alcanzar con el tratamiento. Cada paciente debe saber cuáles son sus metas.

OBJETIVOS DE CONTROL EN LA DIABETES TIPO 2 (ADA, 2011).

	OBJETIVO DE CONTROL
Hemoglobina Glicosilada (%)	Menor a 7
Glucemia basal o en ayunas	Entre 70 y 130
Glucemia luego de 2 horas de la ingesta	Menor a 180
Colesterol total (mg/dL)	Menor a 185
LDL "colesterol malo" (mg/dL)	Menor a 100
HDL "colesterol bueno" (mg/dL)	Mayor a 40 hombres Mayor a 50 mujeres
Triglicéridos (mg/dL)	Menor a 150
Presión arterial (mmHg)	Menor a 140/80
Peso (IMC)	Menor a 25
Cintura (cm)	Menor a 94 hombres Menor a 80 mujeres
Consumo de tabaco	No

Índice glucémico de los alimentos

De acuerdo a su composición, cada alimento eleva de manera distinta la glucemia luego de su ingesta. A esto se lo llama índice glucémico. Los alimentos que aumentan rápidamente la glucemia se dice que tienen un índice glucémico alto. Estos son los que las personas con diabetes deberían tratar de evitar.

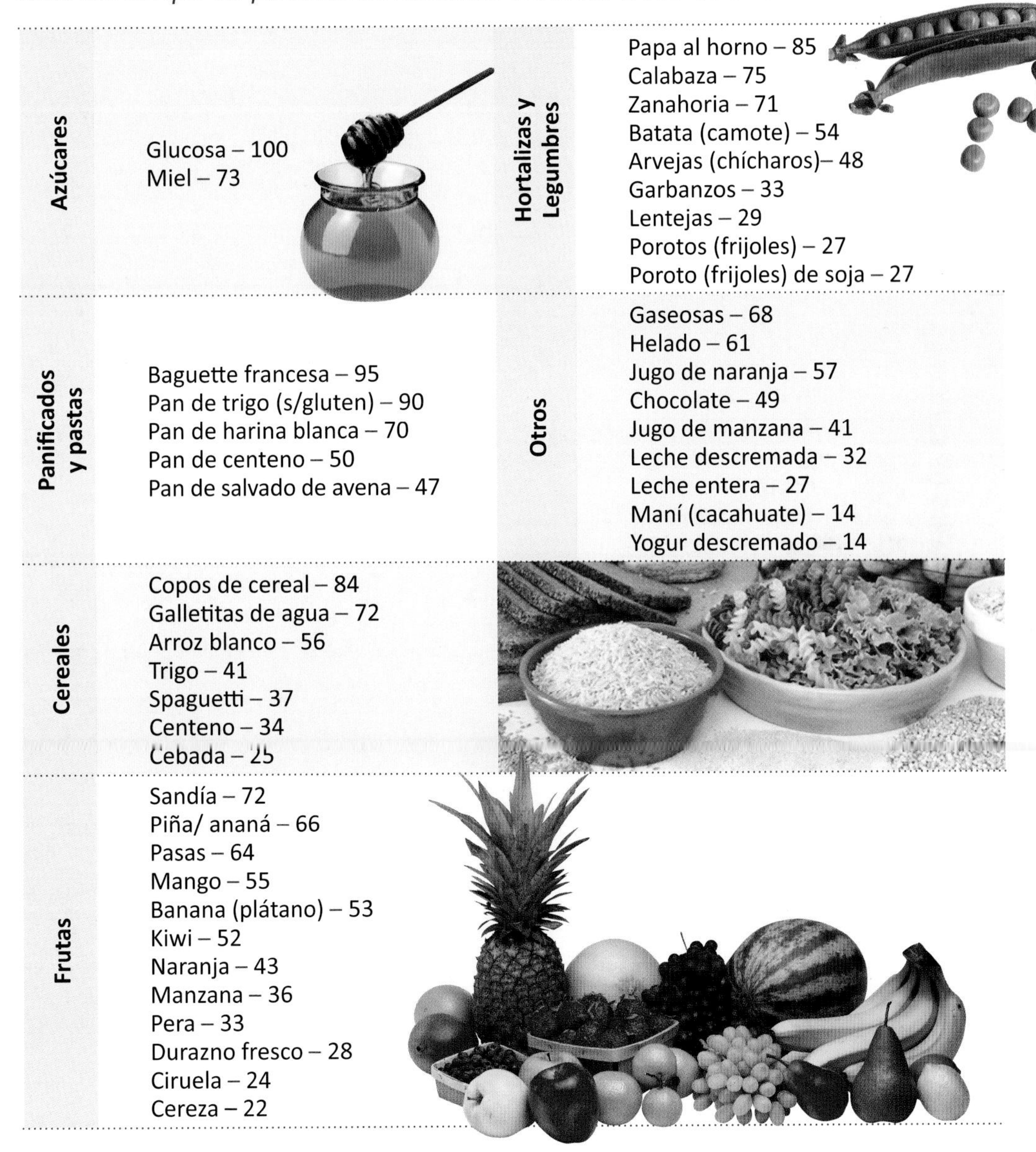

Azúcares	Glucosa – 100 Miel – 73	**Hortalizas y Legumbres**	Papa al horno – 85 Calabaza – 75 Zanahoria – 71 Batata (camote) – 54 Arvejas (chícharos)– 48 Garbanzos – 33 Lentejas – 29 Porotos (frijoles) – 27 Poroto (frijoles) de soja – 27
Panificados y pastas	Baguette francesa – 95 Pan de trigo (s/gluten) – 90 Pan de harina blanca – 70 Pan de centeno – 50 Pan de salvado de avena – 47	**Otros**	Gaseosas – 68 Helado – 61 Jugo de naranja – 57 Chocolate – 49 Jugo de manzana – 41 Leche descremada – 32 Leche entera – 27 Maní (cacahuate) – 14 Yogur descremado – 14
Cereales	Copos de cereal – 84 Galletitas de agua – 72 Arroz blanco – 56 Trigo – 41 Spaguetti – 37 Centeno – 34 Cebada – 25		
Frutas	Sandía – 72 Piña/ ananá – 66 Pasas – 64 Mango – 55 Banana (plátano) – 53 Kiwi – 52 Naranja – 43 Manzana – 36 Pera – 33 Durazno fresco – 28 Ciruela – 24 Cereza – 22		

MODELO DE PLANILLA PARA EL CONTROL DIARIO DE GLUCEMIA

	DESAYUNO		ALMUERZO		MERIENDA		CENA	
	Antes	2 hs después	Antes	2 hs después	Antes	2 hs después	Antes	2 hs después
Lunes								
Martes								
Miércoles								
Jueves								
Viernes								
Sábado								
Domingo								

** En cada casillero se debe colocar el valor de glucemia en sangre (mg/dl)*

MODELO DE PLANILLA PARA EL CONTROL EVOLUTIVO DEL ESTADO CLÍNICO

		FECHA	FECHA	FECHA	FECHA	FECHA	FECHA	FECHA
Examen clínico	Peso							
	IMC							
	Tensión Arterial							
Laboratorios	Glucemia							
	Hemoglobina glicosilada							
	Colesterol total							
	HDL							
	LDL							
	Triglicéridos							
	Otros							

* *En cada casillero el paciente, junto al médico, completará los valores registrados en cada consulta. La planilla posibilitará evaluar de un modo más claro el progreso del tratamiento.*

Automonitoreo glucémico: medición que hace el propio paciente de la glucosa en sangre (glucemia) y en orina (glucosuria).

Bomba de insulina: artefacto que permite administrar insulina de manera continua.

Cetoacidosis diabética: trastorno que se presenta por un aumento de glucosa en la sangre mayor de 300 mg/dl, en pacientes con diabetes tipo 1 y diabetes tipo 2 en tratamiento con insulina.

Cetonuria: trastorno caracterizado por una alta concentración en la orina de cuerpos cetónicos .

Coma hiperosmolar: síndrome clínico que se caracteriza por una cifra de glucosa en sangre por encima de 600 mg/dl, y ausencia de cuerpos cetónicos en sangre. Aparece en pacientes diabéticos tipo 2 en tratamiento con antidiabéticos orales.

Cuerpos cetónicos / Cetonas: productos de desecho de las grasas. Se producen cuando el cuerpo utiliza las grasas en lugar de los azúcares para generar energía.

Diabetes Mellitus: enfermedad crónica causada por un defecto en la producción y/o la acción de una hormona que genera el páncreas: la insulina. Produce un aumento de la glucosa (azúcar) en la sangre que genera complicaciones en el organismo.

Diabetes tipo 1: enfermedad autoinmune en las células del páncreas que hace que este deje de producir insulina. También se la denomina insulinodependiente.

Diabetes tipo 2: enfermedad que comienza, generalmente, con la resistencia a la insulina, una afección que hace que las células de grasa, musculares y del hígado no utilicen esta hormona adecuadamente. Es el tipo más común de diabetes y en muchos casos se genera producto de la mala alimentación, el sedentarismo y la obesidad.

Diabetes gestacional: comienza cuando el cuerpo no es capaz de producir y usar toda la insulina que necesita para el embarazo. Se produce por una alteración del metabolismo de los hidratos de carbono que se inicia durante la gestación.

Examen de hemoglobina glicosilada: se usa para vigilar los niveles de glucosa en la sangre en pacientes con diabetes y también para el diagnóstico.

Glucemia: examen que mide la cantidad de un azúcar llamado glucosa en una muestra de sangre.

Glucemia en ayunas: examen que mide la cantidad de glucosa en una muestra de sangre venosa, después de 8 horas de ayuno.

Glucómetro: aparato portátil que permite medir el nivel de glucosa en sangre.

Glucosa: fuente importante de energía para la mayoría de las células del cuerpo.

Glucosuria: examen que mide la cantidad de un azúcar llamado glucosa en una muestra de orina.

Hidratos de carbono: grupo de alimentos que proporcionan energía al cuerpo.

Hiperglucemia: aumento de los niveles de glucosa en la sangre.

Hipoglucemia: descenso brusco de azúcar en la sangre por debajo de los 70 mg/dl.

Insulina: hormona que fabrican unas células que se encuentran en el páncreas.

Nefropatía: afección de los riñones originada por lesiones en los pequeños vasos y en las unidades de estos órganos encargadas de limpiar la sangre.

Polidipsia: aumento anormal de la sed.

Polifagia: aumento anormal del hambre.

Poliuria: aumento anormal de la micción.

Prediabetes: estado que se produce cuando los niveles de glucosa en la sangre están más elevados que lo normal, pero no lo suficientemente altos como para diagnosticar diabetes.

Prueba de tolerancia a la glucosa oral: examen que consiste en la toma de una muestra de sangre en ayunas y una nueva extracción de sangre luego de las dos horas de haber ingerido un líquido con glucosa.

Retinopatía: afección de los pequeños vasos sanguíneos que se encuentran en la retina del ojo. Se produce un agrandamiento de estos vasos, que puede provocar visión borrosa.

Glosario / Bibliografía

AMERICAN DIABETES ASSOCIATION, Diagnosis and Classification of Diabetes Mellitus, *Diabetes Care* January vol. 32 no. Supplement 1 S62-S67, 2009

AMERICAN DIABETES ASSOCIATION, Standards of Medical Care in Diabetes, *Diabetes Care*, 2009

CDC / DEPARTAMENTO DE SALUD Y SERVICIOS HUMANOS DE LOS ESTADOS UNIDOS DE AMÉRICA, Controle su diabetes. 3ra edición, Atlanta, 2010

CIFUENTES, J y YEFI QUINTUL N., La familia: ¿apoyo o desaliento para el paciente diabético?, Programa de Diplomado en Salud Pública y Salud Familiar, Módulo 1, Osorno, 2005

CONGET, I., Diabetes y enfermedades cardiovasculares (I), Diagnóstico, clasificación y patogenia de la diabetes mellitus. Endocrinología y Diabetes, Hospital Clínic i Universitari de Barcelona, *Rev. Esp. Cardiol*; 55(5):528-35, 2002

COSTA GIL, J., Curso de Capacitación Médicos del Primer Contacto con la Persona con Diabetes, Sociedad Argentina de Diabetes AC, 2011

DEPARTAMENTO DE SALUD Y SERVICIOS HUMANOS DE LOS ESTADOS UNIDOS DE AMÉRICA, Guía para personas con diabetes tipo 1 y tipo 2, 2009

ELIASSON, B., Los efectos del tabaco sobre las complicaciones diabéticas, *Diabetes Voice*. Vol. 50, Madrid, 2005

FARMER, A., Diagnosis, classification, and treatment of diabetes, *BMJ*; 342:d3319, 2011

FEDE, Tengo diabetes tipo 2 ¿Qué puedo hacer?, Madrid, 2008

GARBER, A. et al, Diagnóstico y manejo de la prediabetes ¿Quiénes deben ser tratados y cuál es el tratamiento apropiado? Consenso del American College of Endocrinology, 2009

INZUCCHI, S., Diagnosis of Diabetes, *N Engl J Med*; 367:542-550, 2012

MINISTERIO DE SALUD DE LA NACIÓN ARGENTINA, Encuesta Anual de Factores de Riesgo, Informe de Resultados, Buenos Aires, 2009

MINISTERIO DE SALUD DE LA NACIÓN ARGENTINA, Guía de Práctica Clínica Nacional sobre Prevención, Diagnóstico y Tratamiento de la Diabetes Mellitus Tipo 2, Buenos Aires, 2011

OMS, Recomendaciones mundiales sobre actividad física para la salud, Suiza, 2010

OMS / FEDERACIÓN INTERNACIONAL DE DIABETES, ¡Actuemos ya! contra la diabetes, Suiza, 2003

RODRÍGUEZ PONCELAS, A; BARROT DE LA PUENTE, J; BOU, A., Diagnóstico y abordaje del riesgo cardiovascular en la diabetes tipo 2, *AMF*;5(1):4-10, 2009

RODRÍGUEZ PONCELAS, A; Bou, A, Tratamiento farmacológico de la diabetes mellitus, *AMF*;5(2):66-76, 2009

RUBINSTEIN, E; ZÁRATE, M; CARRETE, P; y DEPRANI; M., PROFAM: Riego cardiovascular y Enfermedad coronaria. 3ª ed., Buenos Aires, Fundacion MF "Para el Desarrollo de la Medicina Familiar y Atención Primaria de la Salud", 2006

SOCIEDAD DE ENDOCRINOLOGÍA PEDIÁTRICA DE LA ASOCIACIÓN ESPAÑOLA DE PEDIATRÍA, Lo que debes saber sobre la diabetes en la edad pediátrica. 3ra edición, Madrid, 2008

FOSTER-POWELL, K; MILLER, J, International Tables of Glycemic Index", *Am J Clin Nutr;* 62:871S-93S, 1995

Sitios web consultados

www.diabetes.org (American Diabetes Association)
www.who.int (Organización Mundial de la Salud)
www.idf.org (Federación Internacional de Diabetes)
www.fundaciondiabetes.org (Fundación para la Diabetes de España)
www.sediabetes.org (Sociedad Española de Diabetes)
www.paho.org (Organización Panamericana de la Salud)
www.msal.gov.ar (Ministerio de Salud de la Nación Argentina)
www.cdc.gov (Centro para el Control y Prevención de Enfermedades de Estados Unidos)
www.fisterra.com (Web médica para profesionales de atención primaria)
www.nlm.nih.gov/medlineplus (Biblioteca Nacional de Medicina de los Estados Unidos)

Índice